JN042545

1●「美しい諸技術の書斎」の天井画
（シャルル・ペロー『美しい諸技術の書斎』1690より）

2●マックス・クリンガー《ベートーヴェン記念碑》1902、ライプツィヒ造形美術館

3●ゲルハルト・リヒター《リヒターの窓》2007、ケルン大聖堂 ©gettyimages

4●《宇宙の創造主としての神》
(『ビーブル・モラリゼ』1250頃より)

5●ジョゼフ・マロード・ウィリアム・ターナー
《悪魔の橋の中央から見たサン・ゴッタルド峠》
1804、アボット・ホール・アート・ギャラリー
©Lakeland arts: Abbot Hall Art Gallery

6 • カスパー・ダーヴィト・フリードリヒ
《雲海の上の旅人》1817頃、ハンブルク美術館

7●バーネット・ニューマン《崇高にして英雄的な人》
1950〜51、ニューヨーク近代美術館 ©MoMA

8●クロード・ロラン《デロス島のアイネイアスのいる風景》1672、ロンドン・ナショナル・ギャラリー
©The National Gallery, London

9●サルヴァトール・ローザ《アポロンとクマエの巫女のいる川辺の風景》1657～58頃、ウォレス・コレクション

ちくま新書

近代美学入門

井奥陽子
Ioku Yoko

1754

近代美学入門【目次】

第2章　芸術家――職人から独創的な天才へ　075

はじめに

†美学とは

本書は美学についての本です。

美学とは、美や芸術や感性についての哲学です。哲学ですから、抽象的な話をします。美とは何か。芸術とは何か。本書ではそういった概念を扱います。

美学というものがひとつの学問分野として成り立っていて、しかも大学で教えられているなんて、私は大学生になるまで知りませんでした。

個人的な話になりますが、私が学部の4年間を過ごした大学の文学部では、入学後に専攻を選ぶことができました。20余りもある分野から、1年生のうちに選択します。もともと哲学に関心はありましたが、いざ入学して授業が始まると、あれもこれも面白くて候補は増えるばかりです。夏になっても消去法で半分にしか絞ることができず、友人に呆れられていました。

秋になると、専攻選択のためのガイダンスがありました。ここで各研究室の詳しい話を聞くことができます。長丁場のプログラムも終盤にさしかかった頃、美学の先生が登壇されました。正直に言うとまったく注目していなかった研究室で、「美学」という名前がそのとき新鮮に響いたくらいです。

配布資料も何もない、短いスピーチでした。しかし私はびっくりしました。「桜を見て美しいと思う、その心も美学は扱うことができる」とその先生がおっしゃったからです。美や芸術、あるいは「〜学」というと高尚で敷居が高いように感じますが、美学は日常に溢れているのです。風に舞う桜の花びらに思わず足を止め、この感情はなんだろうと考えたなら、そのときはもう美学を始めていることになります。素敵だと思いませんか。ここなら自分の感性に向き合うことができそうだと思い、美学研究室のドアを叩きました。

†ものの感じ方は歴史的に形成される

専門課程で学んでいくうちに気づいたことがあります。自分がどう感じるのか分析してばかりいるのではなく、その感じ方が歴史的に形成されてきたものであることを知っておいたほうがよい、ということです。

どういうことか、先ほどに続けて桜を例にしましょう。

私は桜に特別な美を感じます。その美は儚さや慎み深さ、あるいは時の流れを思わせるものです。

このように感じるのは、私が日本の文化圏で育ったからです。日本では桜の開花が年度替わりと重なるため、節目の思い出には桜がつきものです。満開になるとあちこちで花見が催され、普段は草花に興味がない人でも桜は見逃すまいとします。また、万葉集の時代から桜は文芸の題材になり、しばしば人の世の儚さと重ねられてきました。もし別の文化圏でこうした経験や知識を得ずに生活してきたなら、たとえその土地に桜の木があったとしても、同じようには感じなかったことでしょう。

自然に対してさえ、どのように感じるかは自分が育ってきた文化や思想や風習によって方向づけられるのです。

当たり前のことだと思われるかもしれません。しかしそれはおそらく、桜が日本文化にとって特別な存在であることがよく知られており、なおかつ桜に対するイメージが昔からそれほど変わっていないからでしょう。

これに対して、次の例は意外に感じる方が多いのではないでしょうか。

ヨーロッパでは中世まで、人間の手によって整えられていないような、ありのままの自然の景色は美しいものとして捉えられていませんでした。海や山といった大自然の壮大さが崇高だと賛美されることもありませんでした。

まさか、そんなはずはないだろう。自然を見て美を感じる心は、今も昔も、どこの国でも変わらないはずだ。美学を学び始めたばかりの私はこう思いました（それも無理はありません。美にはそのように思わせる力があるからです。こうした美の特徴についても本書の第3章で扱います）。

しかしながら、少なくとも現時点の研究によれば、ヨーロッパで風景の美は近代になってから〝発見〟されたのです。決して普遍的なものではありません。

近代ヨーロッパ。それは自然に対する美意識が大きく移り変わった時代であるだけでなく、美や芸術という概念にも変動が生じた時代でした。

絵画や音楽などに心を動かされて「芸術とは天才の創造だ」と感じ入ったり、自然の豊かな場所を訪れて「絵になる風景だ」と呟いたり――芸術や自然に触れてこうした気持ちが湧き起こるのは、時代や地域を超えて共通する経験だと思われるかもしれません。しかし中世以前に生きた人々なら、このような経験は「ない」と答えるでしょう。私たちが美や芸術について何気なく抱いている〝常識〟の多くは、17〜19世紀のヨーロッパで成立した価値観なのです。この時代に、美や芸術に関する思想はかつてないほどの変貌を遂げました。そうした近代における美学の転換を描きだすことが、本書のテーマです。

†西洋近代美学を学ぶ意義

ところで「近代」と言うと、日本史の区分から、明治時代の頃（19世紀後半〜20世紀初頭）を想定する方もいらっしゃると思います。しかし西洋史の区分では、近代と呼ばれる時期はスタートがずっと早く、14世紀後半〜16世紀のルネサンス時代（日本では室町〜安土桃山時代）以降です。近代のうち18世紀までは「初期近代」や「近世」とも呼ばれます。

本書で紹介する美学の変動は、ルネサンス時代からその兆《きざ》しが見られます。とはいえ転換が決定的になったのは、18世紀後半〜19世紀前半のことでした。そのため「(西洋) 近代美学」と言うと、このあたりをとくに指すのが慣例になっています（以下、「西洋」は省略します)。本書では変化の過程に注目するため、前駆となる時代を含めて17世紀後半〜19世紀初頭をクライマックスとして扱います。日本では江戸時代の頃です。

では、江戸時代のヨーロッパの美学を知ることに、どのような意義があるのでしょうか。先ほど述べたとおり、この時代に成立した美学思想は現在の私たちのなかに染みついています。近代美学を学ぶことは、私たち自身を顧《かえり》みることでもあります。

ただし、私は近代美学が優れたものだから広めたいと思っているわけではありません。むしろ逆です。美や芸術についてしばしば自明の理であるかのように語られる事柄の多くは、たかだか200〜300年前のヨーロッパという一地域で生まれた考え方だ、という点を強調したいのです。

たとえば、次のようなことをよく耳にします。芸術とは、芸術家が自分の思いや考えを表現したものである。すでにある作品と似たような作品は価値が低い。オリジナリティがあり、作者の気持ちが発露した作品こそが優れている。この点で芸術家は職人とは異なる、等々。

こうした考えは、近代美学に基づいたひとつの見解でしかありません。ヨーロッパでも少なくとも中世までは、あるいは長く見積もれば18世紀前半までは当てはまりません。レオナルド・ダ・ヴィンチもバッハも、自己表現やオリジナリティを作品で目指してはいなかったはずです。そうであれば、こうした見解を前提にして彼らの絵画や音楽を評価するのは不当だと思いませんか。

私たちには知らず知らずのうちに、近代美学の考え方が刷り込まれているのです。意識的に顧みなければ、その価値観を基準にしてあらゆる時代と地域の文化を眺める、ということをしてしまいがちです。当然そうした態度では、近代（なかでも19世紀）ヨーロッパの芸術や思想が至上であるように思われ、そこから外れるものを適切に理解することはできないでしょう。

無意識のうちに内面化している価値観を客観視して相対化するために、近代美学を学ぶことは非常に重要です。本書を執筆した一番の動機はここにあります。

大袈裟あるいは偉そうに聞こえるかもしれませんが、これは多様性を認め合う社会を実現するための基本訓練でもあると思っています。自分を絶対的な物差しにしないこと。自分と異なるバックグラウンドを持った他者のことを、自分の物差しで測れないからといって、間違っているとか取るに足らないとか野蛮であるなどと判断しないこと。現代社会で生きるうえで重要かつ基本的な態度ではないでしょうか。そもそも人文学にはこういった姿勢を涵養《かんよう》する役割があると思います。

話が大きくなりましたが、ともかく、自分が当たり前と思っていた価値観が当たり前ではないと知るのはスリリングなことです。近代美学を知ると思考の幅が広がり、美や芸術について考えることがさらに面白くなります。魅力を見いだせるものが増え、美術館・博物館や演奏会などでいっそう多様なものを楽しめるようになります。少なくとも私の場合はそうでした。

†本書の特徴と概要

第1章に入る前に、本書の特徴と概要を記しておきます。

まず、本書では扱うのはヨーロッパ（とくに英独仏）の美学です。哲学と同じく、これまで美学理論や美学史はヨーロッパを中心に形成されてきたからです。もちろんこの状況は変わっていかなければなりません（本書のタイトルに「西洋」や「ヨーロッパ」を付していないのは、たんに字数の都合によるものです）。しかし前述のとおり、近代ヨーロッパの美学を知ることは現代の私たち自身を考えることに直結しています。

近代の特異性を知るには、その前の時代がどうだったのか押さえておかなければなりません。そのため本書では古代や中世についても紙幅を割きます。とくにヨーロッパ文化の源流である古代ギリシャ・ローマ（古典古代）に多く言及します。また各章の締めくくりには、現代的な観点からも考察しています。とはいえ通史的にまとめているわけではなく、近代美学とは何だったのかを考えるために取捨選択した内容になっています。そのため本書はあくまでも近代美学をメインテーマにしたものです。

方法について言えば、本書は美や芸術をとりまく社会状況よりも、概念に着目します。概念は言葉によって表されるので、言葉の変遷を基準に歴史を辿ることになります。社会状況の変化をつぶさに検討することも重要ですが、方法は絞らなければ論述が散漫になってしまうので、あらゆる事柄に目配りすることは叶いません。概念に注目するというのは美学の特徴でもありますので、あらかじめご了承いただければと思います。

さて、目次を見てください。本書は5つの章から成ります。テーマは芸術、芸術家、美、崇高、ピクチャレスクです。最後の「ピクチャレスク」という言葉は耳慣れないかもしれません。絵になるような美しさのことを指す概念です。定訳に合わせて、カタカナ表記を使うことにします。

第1～2章は芸術に、第4～5章は自然に関わる内容です。美を扱う第3章は、第1～

2章の総括でもあり、また第4～5章の前提にもなっています。そのため本書は前から順に、とくに第1～2章と第4～5章はセットで読むことをお勧めします。

なお、各章には「2　本章のポイント」という要点をまとめた節を設けました。先に全体像を把握しておきたい方や、興味のある章だけ読みたい方、あるいは第1章の途中で挫折しそうになった方は、全章の第2節と「おわりに」にまず目を通すのがよいかと思います。

第1章

芸術

――技術から芸術へ

1　「建築は芸術か」

まずは近代から離れて、私たちが普段芸術についてどのように語ったり考えたりしているのか見てみたいと思います。

2020年の秋、私は東京のパナソニック汐留美術館を訪れました。そこで観たのは「分離派建築会100年展——建築は芸術か？」という展覧会です（図1）。サブタイトルの「建築は芸術か」という言葉に注目してみましょう。

建築はそのなかで人が活動する場所ですから、使いやすく安全性に優れていることが重要です。よって建築の本質は機能性であって見た目ではない、という意見もありえるでしょう。

今から100年ほど前、東京大学（当時の東京帝国大学）建築学科では「建築非芸術論」（野田俊彦、1915）という論文が影響力を持ち、そうした思想が強まっていました。それに反発した学生数名が卒業後に結成したのが分離派建築会で、これは日本初の建築運動とされます。建築は芸術である、というのが分離派建築会側の主張です。

建築に限らず、「〜は芸術か」あるいは「〜は芸術である／芸術でない」と語られる場面に出会うことがよくあります。

商品デザイン、漫画、アニメ、ゲーム、書道、香水、料理、フィギュアスケートなど、芸術と言ったときに含められていることは多くないものの、近いように思われる領域について言われることもあります。あるいは、一見誰でも作ることができそうな現代アート作品が高額で落札されたときに、「これも芸術なのか」と驚きや疑念の声を聞くこともあります。

図1　分離派建築会100年展（2020〜21年）©パナソニック汐留美術館

では、みなさんはどう思いますか。先に挙げたようなものは芸術でしょうか。その理由は何ですか。何が芸術で、何が芸術でないのでしょうか。その境界はどこにあるのでしょうか。芸術とは何でしょうか。

私は大学の授業でも、こうした問いを投げかけることがあります。学生の回答でとても多いのは次のふたつです。

「作った本人が「これは芸術だ」と考えているならば、それは芸術である」

「作品を受けとる人が「これは芸術だ」と感じたならば、それは芸術である」

作者の意思あるいは受容者の印象を唯一の条件にする、という考え方です。

もちろん、こうした考え方はひとつの立場としてありえます。私たちの素朴な感覚に近く、角が立たないようにも思えるので、受け入れやすいかもしれません。

しかしあまり得策とは言えません。

たとえば、作家の没後にアトリエから習作やガラクタのようにも見えるものが出てきたとして、それを作者本人がどう考えていたか確認できない、といった状況がありえます。作者が駄作だと捨ててしまおうとしたものが、学芸員や批評家といった専門家から高く評価されることもあります。

受容者を基準にする場合は、誰にも鑑賞されることのないものはどう判断すればよいのでしょうか。もしピカソの絵画が新たに発見されたら、それは少なくとも発見前までは芸術ではないのでしょうか。

こう言われて「面白い。芸術の定義についてきちんと考えてみたい」と思う人はひと握りでしょう。学生の回答からは、困惑や諦念のようなものを感じます。現代アートは石や段ボールを置いただけでも〝芸術〟になってしまう世界だから、あるものが芸術かどうかなんて自分には分からないし、どうでもいい。誰かが芸術と思うなら芸術ということでいいじゃないか、と。

たしかに私自身も、現代アートの多様性には戸惑いを覚えることが少なくありません。芸術の領域を定めたり定義を決定したりすることは、現在では至難の業《わざ》です。「〜は芸術か／芸術である／芸術でない」といったことがたびたび議論されるのは、芸術が無法地帯のようになっていることの表れと言えます。

芸術というものが捉えどころのないほどに広がっている現在、「芸術」の概念の成り立ちを学んでおくと便利です。当初の意味を基準にすることで、それと比較して芸術とは何なのか考えることができるからです。

芸術の定義や領域なんてどうでもいいという方にも、いやむしろそういった方にこそ、芸術概念の歴史を知ることをお勧めします。

この概念は近代ヨーロッパという特定の時代と地域で成立したものです。「はじめに」でも記したように、異なる文化や思想のもとで生まれた作品について語るときに、無意識のうちに近代ヨーロッパの価値観を押しつけていないか、振り返ってみるのは重要なことだからです。

2 本章のポイント

第1章のテーマは芸術という概念の歴史です。ヨーロッパの言語で現在「芸術」を意味する言葉がどのように変遷していったのか、近代を中心に辿ります。

先にポイントをまとめておきましょう。

「芸術」は英語で「アート」です。アートの語源は古典ラテン語にあり、さらに遡ると古典ギリシャ語に見いだすことができます。ところが古代ギリシャ・ローマでは、それらの語は「芸術」ではなく「技術」を指していました。古代から言葉はあったけれども、意味が違ったのです。

「アート」やそれに相当するヨーロッパ各国の言葉（フランス語の「アール」、ドイツ語の「クンスト」など）も、もとは技術を意味していました。それが18世紀から19世紀に変わる頃になると、芸術を意味する語に変容します（ただし技術を意味する用法もなくなったわけではありません）。

つまり現代私たちが使っている芸術という概念は、近代になって初めて生まれたのです。もちろん古代や中世にも、絵画、彫刻、詩、音楽といった概念はあります。個々の作品も存在しています。しかし、これらをひとつのまとまりとして「芸術」と呼ぶ考え方はなかったのです。そのため前述の「作った本人や作品を受けとる人が「これは芸術だ」と思う」という事態は、中世以前ではありえません。

なお本章では便宜的に、英語のアートという語でもって、アートに相当する他のヨーロッパ各国の言葉もまとめて指すことにします。

「アート」という概念の変化を追いかける

では、アートという語はどのようなプロセスを経て技術から芸術という意味へ変化していったのでしょうか。ここでの一番のポイントは、様々な技術のなかでも「美」を本質にするものがひとつのグループにまとめられ、それが芸術と呼ばれるようになった点にあります。技術と美が結びつけられることで、芸術の概念が誕生したのです。

以下では時代順に、次のような流れで話を進めます。

まず、古代から中世で「技術」を意味していた言葉について、その範囲や分類をまとめます(3　アート＝技術(古代〜中世))。次に、近代にどのような過程で芸術という概念が形成されたのか整理します(4　アート＝芸術(近代以降))。最後に、現代に至るまでの状況も視野に入れながら、冒頭の内容に立ち返りたいと思います(5　何が芸術で、何が芸術でないのか?)。

3　アート＝技術(古代〜中世)

3-1 アートは技術（学芸）の意味だった

†テクネーとアルス

まずはアートの語源になった古典語について確認しておきます。

アートの語源はラテン語の「アルス（ars）」です。アルスはギリシャ語の「テクネー」をラテン語に訳すときに作られた語です。英語ではそれぞれが派生して「アート」と「テクニック」になりました。英語ではふたつに別れたアートとテクニックは、古典語では対応する同じ言葉だったのです。

先に述べたとおり、これらの語は「技術」を意味していました。ただしこのときの技術とは、現在一般に思い浮かべられるものよりずっと領域が広いものでした。たとえば狩猟術、農業技術、航海術、料理術などのほか、医術など、現代なら学問とされるものも含まれます。日本語に訳すなら、学問と技術をまとめて指す「学芸」が一番近いのではないかなと思います（学芸は学問に力点を置いたニュアンスになってしまいますが）。

例に挙げたようなものはいずれも、教わったり教えたりすることができるものです。方法を規則化して、人々のあいだで共有することができ、次世代に継承していくことが期待されているものです。領域の広さだけでなく、こうした合理性の点でも、テクネーやアルスは近代的な芸術の概念とは異なります。

近代に入ると、芸術という概念の成立に向かう変動が起こり始めますが、こうした用語法は初期近代まで続きました。

もし18世紀中頃より前のヨーロッパの本を日本語訳で読んでいて、「芸術」という語に出会ったら、少し立ち止まってみると面白いです。原語がアートの場合、本来なら技術や学芸と訳すべきものが多いです。「この芸術と訳されている箇所は技術や学芸のことではないかな。原語は何だろう」と検討してみると、文章の趣旨をすっと読み解けることがあります。18世紀後半は概念に揺らぎがあり、芸術とすべき場合と技術や学芸とすべき場合があるので、さらに面白いです。

†アルス・ロンガ、ウィータ・ブレウィス

こうした言葉の来歴が残っているラテン語の諺があります。「アルス・ロンガ、ウィー

タ・ブレウィス（Ars longa, vita brevis）」です。

ピアニストの坂本龍一さんが好んだことや、夏目漱石が小説『こころ』（1914）で用いたことなどでよく知られています。漱石は自身が装丁を手がけた初版本で、この言葉を篆刻《てんこく》した朱印を作り、表紙をめくって最初に目にするページ（表見返し）のデザインに使用しました（図2）。

このラテン語を英語にすると、art is long, life is short になります。直訳すると「アートは長い、生は短い」です。では、このときのアート（アルス）はどう訳すのがよいでしょうか。

図２　夏目漱石『こころ』に使用された朱印　所蔵：岩波書店

手元にある英和辞典には「芸術は長く人生は短し」と載っています。前半を「芸術は永い」や「芸術は永遠である」とした訳も散見されます。

この訳だと、アート（アルス）は芸術作品で、ライフ（ウィータ）は芸術家の人生と解釈されています。人は限りある短い一生を生きるけれども、生みだされた芸術作品は作者が世を去ったあとも長く残る、という趣旨です。たしかに英語の諺としては、こうした意味で用いられることも多いようです。

ですが、この格言は古代ギリシャのヒポクラテス（前5〜前4世紀）に由来します。ヒポクラテスは医者です。ということは、医者のテクネー、つまり医術のことを言っているのです。人生は短いが、医術を身につけるには長い年月がかかる。こういう趣旨です（もとは「生は短い、しかしテクネーは長い」という順でした）。

このように、この諺にはアートの意味が学芸から芸術へと変遷していったことが反映されています。

ちなみに、漱石はどちらの意味で用いたと思いますか。

『こころ』はとくに芸術を主題にした物語とは言えません。もちろん、作者である漱石の没後も『こころ』という作品は長く読まれ続ける、というメッセージと解釈することもできます。しかし表見返しに押された朱印はおそらくエピグラフになっており、小説の内容に関わるのではないかと思います。物語の鍵となる登場人物「K」は克己心と向学心が強く、そのために苦悩して自ら生を終わらせてしまいます。よって「学の道は長く、人生は短い」と読むのがいいのではないでしょうか。ただし漱石の真意は分かりません。

†発展――模倣の技術

少し細かい話をします。

本書で紹介するような、中世以前に芸術という概念はなかった、という理解が美学史の定説になっています。この説はP・O・クリステラーという著名なルネサンス研究者が20世紀半ばに提唱し、現在まで広く受け入れられているものです（書誌情報は巻末の「読書案内」をご覧ください）。

しかしこの説に全面的には同意せず、古代ギリシャにも芸術の概念はあった、と考える人も一定数います。２００９年にはＪ・Ｉ・ポーターという西洋古典学の研究者が、クリステラーに異を唱える論文を提出し、反響を呼びました（論文のタイトルは"Is Art Modern? Kristeller's 'Modern System of the Arts' Reconsidered"です）。

古代ギリシャにも芸術の概念はあったと主張されるときは、テクネーという概念全般ではなく、その一部である「模倣の技術」という概念が根拠にされます。模倣のことをギリシャ語で「ミメーシス（ミーメーシス）」と言うの

古代ギリシャに
「芸術」はあったのか

で、「ミメーシスの技術」とも表記されます。

古代ギリシャ人は、詩や絵画などは何かを模倣したもの、真似したものだと考えました（ここで「詩」という場合、文芸全般を指すものとして理解してください。演劇も含まれます）。演劇は登場人物の立ち居振る舞いを再現したもの、絵画は描かれた人や事物を再現したもの、といった具合です。この再現するということを、ミメーシスという語で言い表したのです。

現代なら描かれた対象のない抽象絵画や、言葉がもつ意味を解体して文字の形や音などにフォーカスする前衛詩といったものがありますが、そうしたものは想定されていません。詩や絵画はそれに描かれた対象の〝現物〟が別にある、という考え方です。

こうした考え方は古代ギリシャで一般的でした。なかでも哲学者のプラトン（前427〜前347）が理論を整え、さらに弟子のアリストテレス（前384〜前322）が洗練させました。

プラトンやアリストテレスが模倣の技術として挙げる例は、たしかに私たちが芸術と呼んでいるものと同じであるようにも見えます。代表的なものは、詩（悲劇、喜劇、叙事詩など）、音楽、舞踏です。加えて、絵画も模倣の技術として論じられます。彫刻も模倣の産物とされます。これらをまとめて呼ぶには、芸術という言葉がぴったり重なるようにも思えるでしょう。

しかしながら、やはり古代ギリシャの「模倣の技術」という概念は近代以降の「芸術」という概念と同一視できない、というのが本書の立場です。

なぜなら、近代に芸術という概念が成立した決定的な指標は、「アート」という一語でもって芸術を意味するようになったことにあるからです。このような出来事は歴史上、18世紀から19世紀への転換期にしか起こりませんでした。

なお4-2で説明しますが、古代ギリシャの模倣の概念は、近代に芸術の概念が成立するときに一役買います。とはいっても、模倣の技術が芸術という名で復興したわけではありません。

模倣の技術と近代の芸術は、領域も一致しません。プラトンは詩（文芸）のなかでも、台詞がなく語り手のナレーションだけによるものを模倣の技術から区別しています。また、建築は〝現物〟が別にあるものではないので、模倣の技術ではなく「制作の技術」とされます。アリストテレスは、劇中でなされる動物の鳴き声や自然現象の音などの声真似も挙げますが、そうしたモノマネは芸術とはみなさないのが通例です。

もちろん近代の芸術の概念も、それに何を含めるかという点では論者や時代ごとに揺らぎがあります。しかし少なくとも文芸の一部が排除されているので、やはり模倣の技術は芸術と異なるものだと考えるほうがよいのではないでしょうか。

よって、古代ギリシャにも芸術という概念は存在した、というのは厳密な説明ではないと思います。両者はあくまでも共通部分のある別グループです。近代に芸術と呼ばれるようになるもののいくつかを古代ギリシャ人は模倣の技術として考えていた、あるいは古代の模倣の技術と近代の芸術という概念にはその外延の点である程度の対応が見受けられる、などと言うのが正確でしょう。

ポーターは、芸術の概念が近代に誕生したとするならば、古代の芸術や芸術思想を論じることができなくなってしまう、と主張しました。これに対しては、その後に出たいくつかの応答論文で了見違いだと指摘されました（ポーターの論文はクリステラーの方法論などに関する指摘もしており、正当と思われる主張もあります）。

本書の立場もそうです。本書は近代の特異性を強調しますが、決して近代の優位性を主張したいのではありません。芸術という概念がなかったからといって、古代や中世に芸術（と近代以降の人々が呼ぶもの）や芸術についての思想がなかったというわけでも、それらについて論じることができなくなるわけでもありません。当時の人々はそれらを「芸術」とは考えていなかった、という点を意識することが大切なのです。

3-2 文芸・音楽と絵画・彫刻・建築は別グループだった

さて、古代から中世のアート（テクネー、アルス）はかなり広い領域を指していたので、そのなかでグループ分けをすることが様々に試みられました。先ほどの模倣や制作というのもそのひとつです。なかでも古代末期から中世にかけて定着したのは、「自由」なものと「機械的」なものに二分する方法でした。この分類について紹介しましょう。

なお先に紹介したクリステラーの論文では、近代に確立された芸術の主要ジャンルは、詩、音楽、絵画、彫刻、建築であるとされます。そのため以下ではひとまずこの5つを基準に見ていきます（詩は文芸全般として扱います）。

ここでのポイントは、文芸や音楽は「自由」なほうのグループに、絵画や彫刻や建築は「機械的」なほうのグループに属していた点です。同じ技術とはいえ、これらは根本的に違う性質のものだと考えられていたのです。

†自由学芸

ひとつめのグループは「自由学芸」と呼ばれます。ラテン語で「アルテース・リーベラーレース」、英語にすると「リベラル・アーツ」です。現代でも大学の教養科目のことをリベラル・アーツと言いますが、その前身となったものです。

これは直訳すると「自由なアーツ」になります。アート（技術）のなかには自由なものがあると考えられたのです。それは精神に関わり、頭を使うもの、つまり学問です。

ここで「自由な」と言うのは、もとは「奴隷ではない」という意味でした。古代ギリシャ・ローマは奴隷制度に支えられており、奴隷でない身分の人々は自由人（自由民）と呼ばれました。肉体労働から解放された人々です。つまり自由なアーツとは、自由人が身につけるべき、エリートにふさわしい教養のことを指しました。

中世の12〜13世紀に大学が設立されると、自由学芸は専門課程（神学部、医学部、法学部）へ進む人も含め、すべての学生が修める教養課程（学芸学部）のカリキュラムになりました。これが現在のリベラル・アーツへ繫がっていきます。もとは身分制度に由来するネーミングですが、そもそも幅広い教養は人を精神的に自由にするものですから、現在ま

図３　中世の写本に描かれた自由学芸（ヘラート・フォン・ランツベルク編『快楽の園』12 世紀より）
円の中心は哲学。その周囲に、頂点から時計回りに、文法学、修辞学、論理学、音楽、算術、幾何学、天文学。

で受け継がれているのでしょう。

自由学芸は7つの科目に定められました。文法学、論理学、修辞学、算術、幾何学、音楽、天文学です(図3)。

文法学と論理学と修辞学は、言語に関わる学問で、まとめて「三学」とも呼ばれます。これらのなかで文芸も扱われました。

文法を学ぶためには例文が必要ですから、文法学のなかで文芸作品が多く読まれました。また、修辞学というのは耳慣れないものかもしれませんが、これは説得力のあるスピーチをするための技術です。弁論術とも訳されます。スピーチには身振りや声の出し方も大切ですが、内容が一番重要です。そのため修辞学のなかでも、模範となる文章が読まれたり、作文技術が教えられたりしました。

算術と幾何学と音楽と天文学は、数に関わる学問で「四科」とも言います。音楽が算術などと並べられることは、不思議に思われるかもしれません。

ここでいう音楽とは、身体を使って歌ったり演奏したりすることよりも、音響の理論のことを指します。現代でも音階は数で表されます。ドとソは5度、ドとその1オクターヴ上のドは8度、といった具合です。このような音に関する数学的な理論を思い浮かべてください（第3章の3－1も参照）。
こうした自由学芸の制度から、文芸と音楽はエリートが学ぶ学問であったことが確認できます。

†機械的技術

図4　中世の写本に描かれた機械的技術（『マチェヨフスキ聖書』13世紀より）

もうひとつのグループは「機械的技術」と呼ばれます。ラテン語で「アルテース・メーカニクス」、英語にすると「メカニカル・アーツ」になります。

これは機械を使うという意味ではありません。頭を使わずに手だけを動かすとき、機械的に作業するなどと言います。この意味で、身体を使う技術のことを指して「機械的」と名づけられました。

具体例としては、武器製造、靴作り、織物作りなど、ものを制作する技術が代表的です（図4）。

3－1で挙げた狩猟術、農業技術、航海術、料理術も該当します。

現在では学問と考えられているものも含まれます。たとえば医療に関しては、抽象的な医学理論は大学の専門課程で学ばれました。他方で薬を調合したり歯を抜いたりといった、実際に治療を施すことは機械的技術とみなされました。中世では床屋が外科医を兼ねていたことはよく知られています。化学の源流となった錬金術も、実験は手を使うものですから、同じく機械的技術とされました。

絵画や彫刻や建築を作る技術もこのグループに属します（絵画や彫刻や建築は現在一般に「造形芸術」と総称されるので、本書でも以下ではこの呼び方を使うことがあります）。造形芸術は頭脳ではなく身体を使う職人仕事とみなされていたのです。

†絵画・彫刻・建築の位置づけ

文芸や音楽と造形芸術がそれぞれのグループに分かれていただけでなく、自由学芸と機械的技術の関係も対等ではありませんでした。

かたやエリートが学ぶ学問で、かたや職人が担う手業です。一方は知的な営みで、他方は商売や実用を目的にしたものです。もちろん現代の私たちは、職業によって貴賤を設けることはできないと考えています。しかし歴史的な事実として、自由学芸は高級で機械的技術は低級という明確な上下関係がありました。

自由学芸は「奴隷ではない」というネーミングだと先ほど述べました。対して機械的技術は「卑俗な技術」や、もっと露骨には「奴隷の技術」とも呼ばれました。

なお中世では、形容詞を省略してたんに「アート（アルス）」と言うことで、自由学芸を指す用法もありました。自由学芸こそアート（技術）の代表と考えられていたのです。

それだけでなく、機械的技術のなかでも造形芸術は周辺的な地位にありました。そのことはギルドの形態から分かります。

ギルドとは中世に興《おこ》った同業組合です。各ギルドでは価格や生産量を協定したり、技術を共有して後継者を育成したりしたほか、生活面でも相互扶助を行いました。靴屋のギルド、床屋のギルド、ワイン醸造業者のギルドなどがありました。

画家や彫刻家や建築家は近代に入るまで、独立したギルドを持つことがほとんどなかったのです。多くは武器製造業者のギルドに入れてもらっていました。そのため彼らの発言力は大きくなかったことが推測されます。

彼らは別々のギルドに所属することもありました。画家は薬剤師のギルド、建築家や彫刻家は石工のギルドなどです。素材の扱いの点では、石よりも薬のほうが絵具に似ているからです。それゆえ中世の人々にとっては、彫刻家や建築家よりも薬剤師のほうが画家に近い存在だったとも言えます。

こうしたことから、文芸や音楽と絵画や彫刻や建築のあいだには大きな溝《みぞ》があったことや、絵画と彫刻と建築をひとまとまりに捉える意識は強くなかったことが窺《うかが》えます。

†アーティストとは誰か

ところで、アートが技術や学芸を意味し、自由なものと機械的なものに二分することが一般的だった時代、「アーティスト」は誰のことを指したのでしょうか。

芸術の概念はまだ成立していないので、もちろん芸術家ではありません。2種類のアートに携わる人々です。つまり自由学芸を修めた知識人や教養課程で学んでいる学生か、あるいは機械的技術に携わる職人のことでした。

ちなみに、アーティストの語源の「アルティスタ」というラテン語は中世に生まれました。そこからイタリア語（アルティスタ）と、次いでフランス語（アルティスト）を経由して、ようやく16世紀初頭に英語の「アーティスト」が登場します。

いずれの言語でも、自由学芸や機械的技術に従事する人というのが第一義でした。「芸術家」という意味が登場するのは18世紀後半になってからです（4－2で後述します）。

ヨーロッパの大芸術家と言えば、ルネサンス時代のレオナルド・ダ・ヴィンチ（1452～1519）を思い浮かべる方も多いでしょう。しかしレオナルド本人は、自分を画家と思っていたとしても（彼は万能人なので、様々な肩書きで呼ぶことができそうです）、「芸術家」とは思っていませんでした。まだ概念がなかったからです。

芸術と同じく、芸術家という概念の歴史は意外なほど浅く、同じ言葉でも中世まではずいぶんと意味が違っていたのです。

3－3　美＝芸術ではなかった

ここまで読んで、美はどのように捉えられてきたのだろう、と疑問が生じた方もいらっしゃると思います。

現在の私たちは、美しいものの代表は芸術で、美について論じるときは芸術を扱うはずだと考えがちです。しかし中世まで、美と芸術の結びつきは必須のものではありませんでした。

美とは何かと考えるとき、古代から中世にかけては、おもに倫理や神学のなかで扱われました。美しいものとして想定されているのが芸術ではなかったからです。人間の心の美しさ、つまり道徳的な立派さや、神が持っている特徴として考察されました。

たしかに中世以前でも、文芸論や音楽論などで美に言及されることはあります。しかしそうは言っても、美を論じるときに必ず文芸論や音楽論などになったということではありません。ましてや、美を本質にするものとして文芸や音楽や造形芸術をひとつのグループで考える、という発想はありませんでした。

古代〜中世、美は
倫理や神学で扱われるものだった

さて、ここまでの話をまとめておきましょう。ポイントは3点です。

ひとつめ。古代から中世まで、アート（ギリシャ語のテクネー、ラテン語のアルス）という言葉は芸術ではなく技術や学問を意味していました。

ふたつめ。そのアートのなかでも、文芸や音楽はエリートが学ぶ学問（自由学芸）である一方、絵画や彫刻や建築は職人の手仕事（機械的技術）とされ、上下関係のある別のグループに属していました。

みっつめ。絵画と彫刻と建築や、さらにはそれらと文芸や音楽をひとまとまりのものと捉える意識は希薄でした。

4 アート＝芸術（近代以降）

4-1 「芸術」概念成立の土壌

ではこうした状況から、どのような新しい考え方が広まれば、芸術の概念が生まれてくるでしょうか。それは次の3点にまとめることができます。

（1）自由学芸のなかでも、文芸と音楽は他の学問と異なる。
（2）機械的技術のなかでも、絵画や彫刻や建築は他の職人仕事と異なる。
（3）文芸、音楽、絵画、彫刻、建築には、共通の性質がある。

これらが揃うことで、自由学芸と機械的技術というグループが崩れ、芸術という新しいグループが登場することになります。

変化はルネサンス時代から始まりますが、芸術の概念が確立されるのは18世紀になってからです。そのあいだに何が起こったのか、先の3点に沿って順に見ていきましょう。

†新旧論争

まず文芸と音楽についてです。これらと他の学問の違いが認識されるようになった背景には、自然科学の発達と、それに端を発する文芸論争があります。

近代の幕開けとなったルネサンス時代、人々は古代の文化や思想をお手本にしました。なかでもギリシャとローマを自分たちの模範と考え、「古典古代」と呼びました。

続く17世紀には、自然科学がめざましい発展を遂げます。ガリレオやニュートンが活躍した時代です。すると、古代よりも自分たちの時代のほうが優れているのではないか、新しい時代のほうが優位にあるのではないか、という意識が芽生えました。古典古代を理想としてきたところに、進歩という反対の考え方が生まれたのです。

　こうした見解が文芸にも入ってきます。「赤ずきん」などの童話作家として有名なフランスの詩人シャルル・ペロー（1628～1703、図5）は、宮廷の催事で「ルイ大王の世紀」（1687）という詩を披露しました。そのなかで彼は、ルイ14世治下の当世のフランス文化は古典古代より優れている、と歌いあげました。

図5　シャルル・ペロー

　それに他の詩人たちが強く反発し、古代と近代のどちらが優れているのか、論戦へ発展します。対立は10年以上続き、他国へも波及しました。さらには18世紀に入っても別の論者のあいだで再燃しました。これらをまとめて「新旧論争（古代人近代人論争）」と呼びます。

　結局、新旧論争にはっきりとした勝敗はつきませんでした。古代を盲目的に崇拝する姿勢は見直され、自分たちの時代の特性を模索する流れは生じました。

しかし同時に、文芸は進歩史観では捉えられない、という古代を擁護する側の主張も共有されるようになります。時代を追うごとにさらに優れた作品が生まれてくるとか、前の時代の作品は後の時代の作品によって必ず凌駕《りようが》されるとか、そのように言うことはできないでしょう。こうして文芸と自然科学の違いが浮き彫りになりました。

初期近代まで、文芸は朗読されることを前提にしており、また音楽は言葉を伴うものだったため、文芸と音楽は密接な関係にありました。そのため新旧論争の結果、文芸と音楽は進歩の観点からすると他の学問とは異なる、と考えられるようになりました。

†詩画比較論

次に、造形芸術と他の手仕事との相違についてです。これについては画家や彫刻家や建築家の側から、とくに画家によって、自分たちは職人仕事とは違って知的で高級なことをやっていると喧伝《けんでん》されました。

再びルネサンス時代に戻りましょう。この時代のイタリアでは、富裕層が強力なパトロンについたことを背景に、画家や彫刻家や建築家の地位が次第に向上していきました。そこで絵画を主題にした著作がさかんに書かれるようになります。

ルネサンス時代の絵画論では、詩と比較する詩画比較論が流行しました。詩との類似を強調することで、絵画の価値を主張しようとしたのです（詩と絵画の比較自体は古代からありますが、こうした意図でなされるのは初期近代の特徴です）。

そうした主張をするための方便として、古代ローマの詩人ホラティウス（前1世紀）による「ウト・ピクトゥーラ・ポエーシス」という言葉が利用されました。詩は絵画と同様だという意味で、「詩は絵のように」と訳されます。

ただし、ホラティウス自身は次のような趣旨で発言しました。絵画には近くで細部を見たほうがよいものもあれば、遠くから全体を眺めたほうが魅力的なものもある。最初に見たときだけ印象的なものもあれば、何度見ても飽きないものもある。詩も同じで、様々な特徴の作品があり、その特徴に応じた条件で考察すべきだ、と。原文ではこれ以上の含意はありません。

ところがルネサンス時代には、この言葉がもとの文脈から切り離され、詩と絵画が似ているという主張を正当化するために引かれました。

ときには順番も入れ替えられました。絵画も詩と同じように聖書や叙事詩から題材を選ぶべきもので、だから絵画も品位あるものだ、といった具合です。

「ウト・ピクトゥーラ・ポエーシス」という魔法のフレーズのもと、上下関係を逆転した意見さえ出てきます。絵画は描かれたものが目の前にあるかのように自然に、しかも全体を一度に提示することができるが、詩も情景が生き生きと目に浮かぶような描写を目指すべきである、と主張されたのです。レオナルド・ダ・ヴィンチも同様の趣旨の文章を残しています。

レオナルドは次のようにも記しました。詩が自由学芸に含められているのに、絵画が機械的技術とされているのは不当だ。画家はたしかに手を使って描くが、それなら詩人も手を使って書くではないか。むしろ詩人は耳を使うのに対して、画家は眼を使う。視覚は五感のなかでももっとも知的で価値がある。だから絵画のほうが詩よりも優れている、と（視覚の優位性については議論の余地がありますが、西洋思想では一般的な通念でした）。

レオナルドでさえも、絵画が高尚なものだと声高に主張しなければいけなかったのです。それだけ実際には、16世紀にはまだ詩と絵画のあいだに溝が残っていました。

†美術アカデミーの創設

造形芸術が機械的技術から離れていく決定的な出来事は、専門のアカデミー（学校）が設立されたことでした。

　まずは同じくルネサンス時代のイタリアで、絵画と彫刻と建築の学校である「素描アカデミー」が創設されました（1563）。

　この学校名は直訳すると「ディセーニョの技術のアカデミー」になります。ここでのディセーニョとは、紙に描かれた素描（デッサン）だけでなく、作品の構想（デザイン）という意味も含まれます。絵画と彫刻と建築は、このディセーニョを本質にする点でひとつのグループにできると考えられたのです。ここが新しい点です。

　なお、ディセーニョという概念を提示して素描アカデミーを創設したのは、画家や建築家でもあったジョルジョ・ヴァザーリ（1511〜74）です。

イタリア・ルネサンスの芸術家の評伝を書いたことで有名です。

　その評伝は日本語では『芸術家列伝』（1550）と訳されますが、原語をそのまま訳すなら『非常に優れた画家、彫刻家、建築家の生涯』です。絵画と彫刻と建築がひとつのグループにされ、作り手の側から地位向上の動きがあったことや、芸術家という概念はまだ成立していないことなどがここからも確認できます。

美術アカデミーによって
絵画と彫刻と建築が独立していく

さらに17世紀になると、フランスで王立絵画彫刻アカデミー（1648）や建築アカデミー（1671）が設立されました。これによって、職人は街の工房で徒弟制度のもと養成されるのに対して、画家や彫刻家や建築家は国の機関で修練するようになります。さらにアカデミー側は、自分たちは歴史や聖書などの知識も使った知的な営みをしているのであって、職人とは違う、と主張しました。

こうして絵画と彫刻と建築は制度的にも機械的技術から独立していきました。

†文芸・音楽と絵画・彫刻・建築の共通点

ヴァザーリはディセーニョの概念で絵画と彫刻と建築をまとめました。芸術の概念が成立するためには、さらにこれらと文芸や音楽に共通で、しかも他の学問や職人仕事にはないような性質が見いだされる必要があります。

そこで重要な役割を果たしたのが「美」でした。美を本質にするものとしてひと括りにされることで、芸術という新しいグループが形成されていくのです。節を改めて見ていきましょう。

4-2　新グループ「美しい諸技術」、そして「アート」へ

†新しいグループ名の探求

中世までの「自由」と「機械的」というアートの二分法を抜けだして、文芸や音楽と造形芸術が新しく「美しいアーツ」というグループにまとめられることによって、芸術という概念がようやく孵化します。

自由学芸や機械的技術という名称と同じく、ここでのアートはまだ技術の意味で、複数形です。そのことを明示するために、ややぎこちない教科書的な表記ですが、以下では「美しい諸技術」と記します。

美しい諸技術という呼称が普及する以前にも、絵画とそれに近いものをまとめて「〜なアーツ」と表現する試みは、ルネサンスの頃からほうぼうでなされました。18世紀に入っても様々な呼び方が混在しています。

たとえば「高貴なアーツ」「心地よいアーツ」「洗練されたアーツ」などです。ヴァザー

りの「ディセーニョのアーツ」もそのひとつです。「自由なアーツ」というものもありました。ややこしいところですが、自由学芸に文芸や音楽が含まれていたので、その名称が転用されたのです。レオナルドが絵画も自由学芸たりうると主張したことの延長線上にあります。

これらの呼称は、ヨーロッパ全体に普及するまでには至りませんでした。グループに何を含めるかも人によって様々です。造形芸術だけであったり、音楽や建築が含められていなかったり、舞踏が入っていたりしました。

「〜なアーツ」という名称が様々に出るなか、最終的には「美しい諸技術」が覇権を握ります。この流れはフランスが牽引しました。美しい諸技術はフランス語で「ボザール」です。この言葉は17世紀からすでに使われていましたが、この語をかなり明確に用いて、芸術の概念を形成することに貢献したふたりを紹介します。

†ペローとバトゥー

新旧論争の火種になった詩人として紹介したペローは、「美しい諸技術」をタイトルにした書物を刊行した最初期の人物でもありました。

その書物とは『美しい諸技術の書斎』（1690）です。ペローはこの著作で、機械的技術と自由学芸という伝統的なアートの区分に反対し、絵画や彫刻や建築なども価値を認められるべきだと主張しました。ルネサンス以来の議論がまだ続いていることが窺えます。

ペローから半世紀後、哲学者シャルル・バトゥー（1713〜80）による『同一の原理に還元された美しい諸技術』（1746）という書物が上梓されます（図6）。

タイトルに注目してください。バトゥーは絵画や詩や音楽などに共通する「原理」が何であるのか考察しました。これはペローが行わなかったことです。これによって、美しい諸技術は学問からも職人仕事からも区別された、独立したグループとして捉えられることになります。

図6　シャルル・バトゥー『同一の原理に還元された美しい諸技術』（1746）のタイトルページ

それゆえバトゥーのこの著作は、近代的な「芸術」の概念について、美学史上初めて体系的に論じた著作とされています。同書は18世紀後半にヨーロッパ各国で翻訳され、大きな影響を与えました。

そうして様々な「〜なアーツ」という呼

称が混在していたところ、「ボザール」がヨーロッパの他の言語圏にも導入されていきます。ドイツ語とイタリア語では、そのまま「美しい諸技術」を意味する「シェーネ・キュンステ」と「ベッレ・アルティ」です。英語では、洗練された技術といった意味合いの「ポライト・アーツ」との競合の末、「ファイン・アーツ」がよく使われるようになりました。

†発展——美しい自然の模倣

再び発展的な内容になりますが、バトゥーが掲げた原理についても説明しておきます。バトゥーが美しい諸技術の原理と考えるものは、正確に言えば「美」ではなく「美しい自然の模倣」です。

彼は古代ギリシャの思想を受け継いで、詩や絵画などは現実を模倣（再現）したものだと考えます。ただし模倣といっても現実を忠実に再現するのではなく、美しく描くべきだとしました。「自然の模倣」ではなく「美しい自然の模倣」と言われているのはそういう意味です。

一例として、バトゥーは古代ギリシャの画家ゼウクシスにまつわる有名なエピソードを引きます。伝承によると、トロイア戦争の原因になった絶世の美女ヘレネの絵を描くために、ゼウクシスは5人の女性を集めてきて、それぞれの美しいパーツを組み合わせました。このように美しいものを選んだり、描写対象を理想化して描いたりすることをバトゥーは求めています。

バトゥーのこうした理論をどう評価すべきか、難しいところがあります。「模倣（ミメーシス）」は古代ギリシャ発祥の概念です。作者の選択や創意を重視することも、アリストテレスに由来します。古代の模倣の概念を再評価することさえ、彼独自の点ではなく、ルネサンス以降の詩画比較論でしばしばなされたことでした。

3-1で紹介したクリステラーとポーターは、バトゥーの評価の点で見解が大きく異なります。

クリステラーは、バトゥーが先行する理論に多くを負っていることは認めつつ、時代を画する人物とみなします。バトゥーは近代的な芸術についての明確な体系を、しかもそれを主題とした著作で示したからです。

対してポーターは、古典古代の思想に精通していたバトゥーにとって模倣は古代の概念であり、クリステラーがバトゥーのことを近代の芸術体系の創始者であり完成者であるとみなすのは誤りだ、と論難しました。近年バトゥーの著作を英訳したJ・O・ヤングも、クリステラーはバトゥーを過大評価しているという見解に立っています。

たしかに、思想史は少数の天才的な思想家だけで作られるのではありません。歴史に名を残すような哲学者や美学者も、自分の思想をまったくオリジナルに生みだすことは不可能で、遠い過去の文献や同時代の言説から大なり小なり影響を受けています。ただ思想史の大きな流れを語るときは便宜上、際立った思想家に光が当てられます。バトゥーについても、同様に考えておくのがよいでしょう。

とはいえ、バトゥーと古代の模倣理論にはやはり相違があります。古代では文芸や絵画などに共通する本質として美が論じられることはなかったのですから、作者の選択や創意の基準を美とする点で、バトゥーは近代的です。また古代ギリシャの模倣の技術は、芸術と領域が一致するわけではなかったのでした。それに対してバトゥーは、美でもって芸術と芸術でない模倣を弁別したことになります。

さらに言えば、模倣を芸術の原理にする理論は、遅くとも19世紀に入る頃には支配的ではなくなります（第2章の3－2参照）。それでも芸術という概念は生き残っていきます。よって、バトゥーの功績は「美しい自然の模倣」を原理にしたことよりも、「美しい諸技術」の体系的な理論を試み、「美」を冠したその名称をヨーロッパに普及させた点にあると言えます。この点で本書は、クリステラーと同じ見解です（したがってまた、近代の「芸術」は古代の「模倣の技術」と同じものだとは言いがたいでしょう）。

†形容詞と複数形が抜けた「アート」

さて、「美しい諸技術」という名称が普及し、その概念が定着していった18世紀末になると、形容詞の「美しい」と複数形の「諸」が省略されるようになっていきます。たんに「アート」ということで、この語のもとの意味の「技術」全般ではなく、そのなかでも「美しい諸技術」を指すようになったのです。

中世では、形容詞を省略した「アート」と言えば、自由学芸のことを指すのでした。近代になると、美しい諸技術がその位置にとってかわったということになります。アートの代表が、自由学芸から芸術へと変化したのです。

単数系になったというのも重要です。これは文芸や絵画などがバラバラなものの寄せ集めではなく、結びつきの強い、ひとつのまとまりとして意識さ

単数系の「アート」は
ひとつのまとまりをもつものに

れるようになったことを示すからです。

こうして「美しい諸技術」の形容詞が省かれて単数系になり、たんに「アート」(フランス語では「アール」)の一語で美しい諸技術を指し示すようになりました。この事実をもって、美学史では芸術の概念が確立されたとみなします。あらゆる技術を意味する「アート」という言葉が、「美しいアーツ」という概念を経て、「アート」だけで芸術を意味するようになった、という流れです。

芸術という概念が成熟した18世紀末頃、「芸術家」という言葉も誕生します。「アーティスト」が芸術家を意味するようになり、職人を意味する語(フランス語なら「アルチザン」、英語なら「クラフツマン」など)と区別されるようになったのです。

なお、アートの一語で芸術を意味する用法が根づいていくに従って、ボザールやファイン・アーツは芸術のなかでもとくに造形芸術を指すようになっていきました。

ところで、芸術を指す語が「美しい諸技術」から「アート」へと移り変わったのはどうしてでしょうか。

その理由を断定するのはなかなか難しく、現代の美学史研究のトピックにもなっています。ただ18世紀後半から19世紀前半は、芸術と美をとりまく環境や思想が激しく変動した時代であり、それらの変化が要因になったと考えられます。

そうした要因について述べるのは第2〜3章にまわし、本章ではひとまず「アート」という言葉の変遷を辿ることまでにしておきます。第3章の5で改めて話をまとめますので、それまでお待ちください。

†補足――日本語の「芸術」と「美術」

時代は下りますが、日本語についても補足しておきましょう。日本（語）での芸術という概念は、明治時代に西洋から輸入されるかたちで誕生しました。

1873年、ウィーン万国博覧会が開催されます。日本が初めて公式に参加した万博です。この参加をきっかけにして「美術」という訳語が造られました。ただし当初は意味に揺らぎがあり、芸術全般を指す用例と、造形芸術をとくに指す用例が混在していたようです。

他方、「芸術（藝術）」という言葉は古くからありました。しかしそれは広く技術や学問を指していました。つまりヨーロッパ古代〜中世のアート（テクネー、アルス）に近い語だったのです。それが明治時代に「美術」と同じような領域を指す語へと変化していきます。

西洋美学の導入が進んだ明治30年代(1900年前後)になると、「美術」と「芸術」の使い分けが普及し、「美術」という言葉で造形芸術を指す用法が定着しました。ただ現在でも、「美術」が芸術全般を指す語として用いられることもあります。両義的な言葉なので、本書では(「美術アカデミー」などの複合語を除いて)使わないようにします。

5 何が芸術で、何が芸術でないのか?

ここまで、芸術という概念が形成された経緯を見てきました。では、当時はどのようなものが芸術(美しい諸技術)であるとみなされていたのでしょうか。近代について整理しつつ、冒頭の話についても考えてみたいと思います。

†美しい諸技術には何が含められたか

前述のとおり、クリステラーは詩、音楽、絵画、彫刻、建築を近代的な芸術の基本ジャンルと定めました。しかし芸術の概念が誕生したときも、その領域は確定されていたわけではありませんでした。

クリステラーが依拠しているのは、18世紀フランスの知識の集大成である『百科全書』(1751〜80、全35巻)の序文です。たしかにそこでは、先の5点が美しい諸技術として挙げられます。しかし序文の補遺に収録された「人間の知の系統図」という図表では、これらに版画も加えられた6点になっています。

他の例として、ペローとバトゥーを見てみましょう。

ペローが美しい諸技術とするものは8点あります。詩、弁論、音楽、彫刻、建築、絵画、機械学、光学です。

機械学(現代的な名称で言えば機械工学)と光学を含める点がペローの特徴です。現在ではこれらが芸術とされることはほとんどないでしょう。とはいえ少し考えてみると、機械学は建築と近く、光学も視覚に関わるので造形芸術と密接な関係にあります。

口絵1は、ある紳士の書斎にある天井画として『美しい諸技術の書斎』に掲載された版画です。中心には、ギリシャ・ローマ神話で学芸を司る神々が描かれています（ギリシャ名で言えば、上からアテナ、アポロン、ヘルメス）。その周りに、先の8点についてのイメージ図が示されています。右列は上から、詩、弁論、音楽、左列は上から彫刻、建築、絵画、上部は機械学、下部が光学です。

それぞれの図はさらに拡大されたものが掲載されます。図7と図8は、そのうちの機械学と光学の部分です。

図7の中央の女性は機械学が擬人化されたもので、気圧計を手にしています。まわりのプットー（羽の生えた男児）は、最新型の時計や揚水ポンプを触っています。

図8では、望遠鏡を覗き込んでいる女性がやはり光学の擬人化像です。プットーも一緒に空を眺めたり、何やら小さな物体を調べたりしています。背景には天文台が見えます。

ペローの書物が新旧論争中に出版されたことを考えると、近代派らしいテクノロジーの称揚とも言えるでしょう。

他方でバトゥーの場合は、まずアート（技術）全般を3つに分類します。「機械的技術」「美しい諸技術」「第三の技術」です。機械的技術は生活上の実用に応えることを目的にしたもので、美しい諸技術は楽しみを与えることを目的に、第三の技術は実用性と楽しみの

図７　《機械学》（シャルル・ペロー『美しい諸技術の書斎』1690 より）

図８　《光学》（シャルル・ペロー『美しい諸技術の書斎』1690 より）

両方を目的にしたものとされます。

美しい諸技術には、詩、音楽、絵画、彫刻、舞踏の5点が挙げられます。先のふたりにはなかった舞踏が入れられています。これは珍しいことではありません。他方、弁論と建築は「第三の技術」とされます。バトゥーはこれらを職人仕事と芸術の中間に位置するものと考えたようです。

またバトゥーは五感を基準にして、受け手の視覚か聴覚に関わるものが美しい諸技術であるとも言います。なぜ嗅覚や味覚や触覚ではいけないのかというと、ヨーロッパでは伝統的に視覚と聴覚が高級で、それ以外は低級な感覚とされてきたからです。

なおここに挙げた例にはありませんでしたが、18世紀中は庭園が芸術に含められることもよくありました（庭園については第5章の3-2を参照）。

†芸術の条件――「〜は芸術か」という問いをほどく

では芸術の概念が誕生した当時、何が芸術の要素と考えられていたのか、芸術の条件について考えてみましょう。ここまでの議論を踏まえると、次のような特徴をピックアップすることができます。

まず「美しい諸技術」という言葉から、美と技術が芸術の概念に含まれていたことが分かります。つまり芸術とは、高い技術でもって美しいものを生みだすこと、またはそうして生みだされた作品のことを意味していました。

造形芸術を機械的技術から差別化するという点では、知的で高尚であることや、修養や活動の場所が職人とは制度面で異なることも芸術の指標でした。さらにバトゥーの見解を採用するなら、実用を目的としないことと、受容者の視覚か聴覚に関わることも加えられます。

自由学芸との区別という点では、科学的な進歩では捉えられないことも芸術の特徴です。つまり理論によってはすべてを教わることができないということですから、芸術家には（さらには受容者にも）個人の感性やセンスが必要とされることになります。次章の内容の先取りになりますが、技術だけでなくオリジナリティやクリエイティヴィティが要求されるとも言えます。

これらの要素はどれも、どれかひとつが当てはまれば芸術であり、当てはまらなければ芸術でないと決定できるもの（必要十分条件）ではありません。高い技術で生みだされた美しいものなら、家具や衣服などにも当てはまります。

そのため、同じ「芸術」という言葉を使っていても、どの条件を想定しているかによって結論は異なってきます。「〜は芸術か／芸術である／芸術でない」といったことが話題になるとき、意見が人によってかなり異なったり、議論が平行線を辿ったりしやすい要因は、第一にここにあるのではないかと思います。

18世紀中頃のフランスでも、『百科全書』は建築を芸術とみなしたのに対して、バトゥーは第三の技術としました。建築が高い技術によって生みだされた美しい作品であり、また実用も目的にしているという点では、両者は同じ意見だったことでしょう。しかしバトゥーは機械的技術との区別を重視し、非実用性を芸術に必須の条件としたため、出てくる結論は異なったのです。

そのため、「〜は芸術か／芸術である／芸術でない」ということが語られているときは、そのように言うことによってその人は何を主張しようとしているのだろう、と考えてみるとよいのではないかと思います。

私はあるとき、茶道に造詣の深い友人に「和菓子は芸術だと思う」と言われました。話を聞いていると、それは次のような理由からでした。茶道教室で頂く和菓子には、いつもはっとさせられるような表現で、季節の移ろいが細やかに反映されている。絵画や彫刻に引けを取らないほどの美しさと熟練の技だと思う、と。

美、技術、感性やクリエイティヴィティ、さらに挙げるなら視覚や高尚さといった特徴を根拠に、「和菓子は芸術である」という見解に至ったようです。たしかに近代的な芸術の要素をかなり兼ね備えていると言えます。

他方で、友人が理由に挙げた特徴については同意しても、「和菓子は芸術ではない」とする立場もありえます。

たとえば、和菓子の魅力は何よりも口に入れて味わう風味であり、なおかつ食べるためのものは芸術とは言わない、という見解に立つ場合です。もし近代的な芸術の概念を基準にするならば、味覚や触覚におもに関わるものは芸術というカテゴリーには入れにくいでしょう。

「芸術ではない」と言われると「価値が低い」と評価されているように感じるかもしれません（実際、「これはもはや芸術だ」や「こんなものは芸術でない」など、「芸術」が評価的な意味で使われることもあります）。しかしそれに「いや、芸術だ」と言い返すのではなく、そう思うのはなぜか聞いてみると、より建設的で楽しい会話になるのではないでしょうか。

「〜は芸術か」と言うとき何を主張しようとしているのか

ちなみに私は和菓子が芸術かどうか決定したいわけではありません。「〜は芸術か／芸術である／芸術でない」ということが人々のあいだで実際によく語られる以上は、芸術の可能性を狭めないようにしながら思考を整理することが、美学に携わる者の務めだと考えています。そしてその整理のために、近代的な芸術の概念はひとつの目安として有効だと思います。

†近代の「芸術」概念を相対化する

多くの方がお気づきかと思いますが、先に列挙した近代的な芸術の条件は、現在ではすでに通用しないものが多くなっています。

そもそも芸術と職人仕事との区別が今となっては自明ではありません。芸術の概念が確立された約100年後、つまり19世紀末〜20世紀初頭のことです。造形芸術が他の手仕事から切り離されたことを見直し、造形芸術家と職人の協働を促す動きがイギリスを発端に各国へ広がったのです（国ごとに呼称がありますが、まとめて「近代工芸運動」と呼ばれます）。これによって、芸術とデザインや工芸との境界は意識的に崩されました。

さらに写真や映画やデジタルアートなどの登場によって、芸術の領域は拡大し続けています。ハイカルチャーとサブカルチャーのような上下の区別もそれほど有効ではないように思います。

また、絵画や文芸や音楽なども表現が多様になっています。カンヴァスを黒で塗りつぶした絵画、意味を持たない叫びのような言葉が並ぶ詩、休符だけで何も演奏されない音楽――ほんの一例ですが、こうした作品が20世紀に登場しました。こんにちでは、芸術には美も技術も必須ではありません。

もはや芸術は「美しい諸技術」ではなくなりました。芸術という概念は、バトゥーから数えてもまだ誕生から300年も経っていないにもかかわらず、すでに根底から覆されているのです。それにもかかわらず、私たちは同じ「芸術」という言葉を使い続けています（日本語では「芸術」と片仮名の「アート」で緩やかに区別されることもありますが）。

そのため、無意識のうちに近代的な芸術の概念を前提にしていることが少なくないのではないでしょうか。芸術とは美しいもので、高い技術によって創作されるもので、高尚で、凡人には生みだせないオリジナリティ溢れるものだ、あるいはそうあるべきだ、と。誰にでも作ることができそうな現代アート作品に「これも芸術なのか」という声があがるのも、それゆえでしょう。

近代的な芸術の概念をそのまま適用することができないのは、現代アートに限ったことではありません。文芸、音楽、絵画、彫刻、建築、舞踏といったものは、様々な時代や地域に存在します。それゆえ私たちは近代ヨーロッパで生まれた「芸術（アート）」という言葉を、他の文化に対しても使っています。「古代ギリシャの芸術」「ヨーロッパ中世の芸術」「イスラムの芸術」などと言っています。

もちろんこうした表現をすること自体に問題はありません。しかしながら、「古代ギリシャやヨーロッパ中世やイスラムの芸術家も、芸術で美を追求することや個性を発揮することを目指していたはずだ」と考えるなら、それは錯誤です（古代ギリシャとヨーロッパ中世の制作については次章で言及します）。

近代（なかでも18世紀後半から19世紀の）ヨーロッパ以外の芸術について理解しようとするなら、それぞれの時代や地域の文化や思想を汲まなければなりません。近代ヨーロッパではなく、当人たちの物差しに合わせる必要があります。そしてそのために、「芸術」という言葉から思い浮かべられる概念は近代ヨーロッパのものである、と自覚することが重要なのです。そうすることでまた、芸術についていっそう柔軟に考えられるようになる気がしませんか。

第2章

芸術家——職人から独創的な天才へ

1　「独創的な芸術家は世界を創造する」

私の好きな美術館のひとつに、三菱一号館美術館があります。東京駅から歩いてすぐ、赤煉瓦の洋館と中庭が美しい場所です。

この美術館の建物には、明治時代に建てられた三菱一号館と呼ばれる建築（当時は銀行などが入ったオフィスビル）が利用されています。２０１０年に復元され、美術館としてオープンしました。

三菱一号館の創建当時（19世紀末〜20世紀初頭）をテーマにした展覧会を訪れたときのことです。展示室を見終わって出口へと向かう途中、廊下に1枚のパネルが掲げてありました。パネルには図1の図版を背景に、このような言葉が記されていました。

さあ、見てごらん。するとたちまち世界は

（世界は一度にかぎり創造されたわけではない。独創的な芸術家が出現したのとおなじだけ創造されたのだ）、われわれの目に、古い世界とはまるでちがって見える。しかも完全にはっきりと見える。

図1　エミール・モノー『1889年パリ万国博覧会』（1890）より（三菱一号館美術館、岐阜県美術館『1894 Visions――ルドン、ロートレック展』筑摩書房、2020、7頁）

これはフランスの作家マルセル・プルースト（1871〜1922）の長編小説『失われた時を求めて』（1921）からの引用です（井上究一郎訳『失われた時を求めて5――第3篇ゲルマントのほう2』ちくま文庫、1993年、31頁）。

小説のなかでは、続く箇所で次のように綴《つづ》られています。ルノワールの作品を見たあとでは、通りを歩く女性や馬車などがルノワールの絵画のように見える。彼の森の絵を初めて見たときは、ただの色彩の寄せ集めにしか見えなかったのに、今ではルノワールが描くような森を散歩したいという欲求に駆られる、と。

偉大な芸術家は独自の世界観を表現し、それに触れると私たちの外界の見え方もがらっと変えられてしまう、ということが語られています。たしかにこうした体験は芸術に触れる醍醐味のひとつだと私も感じます。

ここではとくに括弧のなかの表現に注目したいと思います。独創的な芸術家はそれぞれの世界を創造する、と言われています。これを聞いて、どのように感じますか。

多くの方がプルーストに共感するのではないでしょうか。「プルーストが何を言っているのか理解できない」とか、あるいはキリスト教の立場から「この世界の創造主である神への冒瀆だ」などと思う方は、かなり少数だと思います。

プルーストの言葉は、現在から100年ほど前のものです。では、もしも400年前のヨーロッパの人々がこれを読んだなら、どのように感じたでしょうか。「独創的な芸術家」というフレーズについては、意味がよく分からないと思うことでしょう。「世界が創造された」という箇所についてはおおむね同意はしても、そのままの表現では宗教的に不敬だと、抵抗を覚える人がほとんどのはずです。

偉大な芸術家は「独創的」で自分の世界を「創造」する。こうした考え方が成立したのは、今から200～300年前、つまり18世紀のあいだです。この時期に美学の変動があったからこそ、プルーストはあのような表現をすることができたのです。

また現在の私たちもプルーストを読んで、芸術の真理を突いた至言だと感じています。歴史から見れば比較的新しく、なおかつ現在でも根づいている思想だと言えるでしょう。

2　本章のポイント

第1章でお話ししたように、「芸術」の概念が成立するにともなって、機械的技術に従事する「職人」から区別されるかたちで「芸術家」という概念も誕生しました。それでは、芸術家はどのような存在と捉えられるようになったのでしょうか。

結論から言うと、神のような存在になりました。自分の世界を創造する天才、というイメージがかたちづくられ、18~19世紀にかけて芸術家が神格化されていったのです。いま私たちが芸術家と考えている人々（とくに造形芸術に携わる人々）の位置づけは、近代を境に職人から独創的な天才へと大きく転換していきます。

本章ではこの変化について紹介します。前章では時代順にお話ししましたが、本章はまず大きな流れを外観し（3　芸術家をとりまく環境と作者の地位の変遷）、その次に細かい話をする（4　芸術家にまつわる概念の変遷）という手順で進めます。そのあとで、近代的な価値観から少し距離をとって考えてみたいと思います（5　作者と作品の関係をどう捉えるか?）。

「4　芸術にまつわる概念の変遷」で解説するポイントも先に記しておきます。芸術家を独創的な天才とみなす思想が形成されていく目印は、もともと神に対して使われていた言葉が、芸術家という生身の人間に使われるようになっていく点にあります。

神に対して使われていた言葉が人間のものになっていく

英語で言えばジーニアス（天才）、クリエイション（創造）、オリジナリティ（独創性）――これらはすべてヨーロッパのキリスト教文化では、神的な存在に関する概念でした。

クリエイションとは神が行った世界創造を指す言葉で、真にオリジナル（根源的）な存在とは神です。ジーニアスとは守護天使のことです。

こうした言葉を人間が奪っていくことで、芸術家が文字通り神格化されていくのです。

3　芸術家をとりまく環境と作者の地位の変遷

3-1　注文に従って制作する職人（古代〜初期近代）

絵画や音楽などの芸術（と近代以降に呼ばれるもの――以下本書では、18世紀以前についてもこうした断り書きなしに「芸術」や「芸術家」といった言葉を用います）に向かい合うとき、無意識のうちにこのように考えていませんか。これを作った人は創作欲求に駆られて、自発的に創作にとりかかったのだろう。できあがった作品は、その人の自己表現である、と。

こうした前提は、17世紀以前には基本的に当てはまりません。初期近代までの芸術は、制作が成り立つ経済的な仕組みも、制作の形態も、現在とは異なっています。その結果、作品に対する「作者」という存在が、今のわたしたちが思うよりもずっと希薄で曖昧です。

†パトロネージによる制作

初期近代まで、詩人、音楽家、画家、彫刻家などは今で言うフリーランスのような自立したかたちで成り立つ職業ではなく、彼らはパトロンの庇護《ひご》があってはじめて活動できていました。パトロンとして芸術家を経済的に（ときには精神的にも）援助することを「パトロネージ」と言います。

パトロネージを行うことができたのは、ごく一部の富裕層だけです。中世までは王侯貴族か、教皇や修道院長といったトップ層の聖職者でした。ルネサンス時代になると都市経済が発達し、財力と権力をつけた商人も参入します。金融業で成功したフィレンツェのメディチ家は、ルネサンス芸術が開花する後ろ盾となったことで有名です。

芸術を自由に楽しむことができたのも、特権階級の人々だけでした。現在のような公共の美術館やコンサートホールはありません。絵画が飾られたり音楽が演奏されたりしたのは、王侯貴族の邸宅か神殿や教会です。民衆の身近にあったのは、旅芸人の出し物や大衆演劇の類だったと考えられます。

こうした仕組みのもと、芸術家は注文に応じて、神や権力者の栄光を讃えるために制作していたのです。

当然、求められたのは作り手の自己表現ではありません。教会からの発注なら聖書を題材にして、教義や慣例に即した表現をしなければなりません。そうでなくとも、よく知られた神話や歴史物語をテーマにした作品のほうが、まったく新しく考案された物語や絵画よりも価値が高いとみなされました。すでにある優れた作品を真似することも推奨されていました。注文主が予想もできないような、斬新な作品はそれほど期待されていなかったのです。

制作の主導権も注文主にあります。芸術家は依頼目的や注文主の意向に沿ったものを作らなくてはなりません。絵画の場合なら、主題や構図やさらには使用する画材まで、注文主が細かく指定してくることも珍しくありませんでした（画材ひとつとってみても、今のように誰でも手軽に入手できるものではありません）。

注文に応じた制作が
芸術家の仕事だった

ちなみに、私のきょうだいはプロダクトデザインの仕事をしています。かつて企業に勤めていたときは「クライアントの意見に従ったものしか作れない。自分がこだわりを込めた部分も、先方が気に入らなければ変更させられる」とよく悩んでいました。パトロンのもとで活動していた芸術家のなかにも、これに近いもどかしさを感じていた人もいたかもしれません。

†「作者」概念の不在

もちろんこうしたことは、古代や中世に個性溢れる作品や革新的な作品がなかったことを意味するわけではありません。しかしそうは言っても、近代の以前と以後では芸術家の位置づけが決定的に異なります。

そのことを示すのが「作者」の概念です。近代以前には、そもそも作者という概念がなかったのです。

「作者」は英語で「オーサー」です。これはラテン語から入ってきた言葉です。ラテン語（アウクトール）では、権威や影響力つまりオーソリティを持った人（債務の保証人、売買での売り手、法の発案者、未成年や女性の後見人など）を意味しました。ここから、作品に対してそれを作った人もオーサーと呼ぶようになりました。

しかし詩人をオーサーと呼ぶ用例は、ようやく15世紀末になってから登場します。画家や彫刻家なども含めた用法は、18世紀末に広まったとされます。つまり「芸術家」という概念が確立するのと同じ頃です。「作者」は「芸術家」と一緒に誕生したのです。

では、それ以前はなぜ作者という概念がなかったのでしょうか。

まず、作品の源は人間ではなく神にあると考えられていたからです。

古代ギリシャでは、詩や音楽は人間を介して神々が歌うものだと捉えられました（この意味では、古代でも詩人は神々に近い存在とみなされていました。しかしそれは霊媒のような存在です。神と同様に創造を行うという近代の思想は、これとは決定的に異なります）。造形芸術なら、それぞれの作品に表される神々自身が、絵画や彫刻に姿を現すと信じられました。

また古代末期から中世のキリスト教文化では、神の姿や教えを写しとることが芸術の目的とされました。

こうした宗教に奉仕する姿勢においては、作り手は主役になりえません。

さらに、作り手を誰かひとりに特定できない場合が多々ありました。

文芸や音楽については、口承文化であったことが要因です。声や音によって受け継がれるなかで、伝言ゲームのように作品が変化していくのは自然なことです。

文字文化が普及してからも、共同作業の側面は変わりません。先に触れたように、神話や歴史物語などの共通の題材が使われたからです。すでにある書物を引き写して、切り貼りするようにして執筆するのも普通のことでした。現代の視点から見れば、どれが原作なのか曖昧ななか、翻案作品がいくつもあるような状態です。

画家や彫刻家はもっと明確なかたちで共同作業をしていました。現代のように個々人がアトリエで創作するのではなく、工房で集団制作をしていたのです。

工房を運営する親方は、複数の弟子を教育しながら、アシスタントとして使っていました。多くの注文をさばくために、親方は作品の主要な部分を手がけて、脇役や背景などは弟子に任せるのが一般的でした(現在なら漫画の制作がこれに近いと言えます)。他の工房の芸術家に協力してもらうことさえありました。

特定の芸術家が現在「作者」として記録されている作品もありますが、それは親方の名前が残っているだけです。

たとえばアンドレア・デル・ヴェロッキオ作の《キリストの洗礼》という作品があります(図2)。この一番左に描かれた天使は、ヴェロッキオのもとで修業していた若きレオナルド・ダ・ヴィンチが担当しました。また画面上部に見える神の手などは、さらに別の画家が描いたと考えられています。

1枚の絵画にも複数の画家の手が入っているのです。これが19～20世紀のゴッホやモネなどの作品ならありえないことでしょう。

ひとつの作品を複数人で制作していただけでなく、工房のなかで同じような作品を量産することも多々ありました。現代でも家具や食器は、ハンドメイドであってもある程度は規格化して生産されますが、それと似たようなものです。その場合、親方の作品を見本にして、制作は弟子に委《ゆだ》ねられることもありました。

このようにして作られたものに対して、誰かひとりを作者として名指すことは、難しかったり、それほど意味をなさなかったりします。

そのため近代初頭までは、著作権についての法律もありません。出版者が勝手に文章を書き換えることや、完成した絵画に所有者が絵筆を加えることも珍しくありませんでした。模作や海賊版も数多く出回っていました。

さすがにそうした状況を快く思わない人も出てきます。文芸では中世末期から、造形芸術ではルネサンス時代から、作り手が自分の作品に対する権利を主張し始めます。しかし

図２　アンドレア・デル・ヴェロッキオ《キリストの洗礼》1470〜75 頃、ウフィツィ美術館

著作権が公式に制定されるのは、18〜19世紀になってからのことです。

画家のサインから見る意識変化

画家のサインの普及も「芸術家」や「作者」の誕生と連動しています。

画家は最後の一筆で画面の端にサインを入れ、それでもって作品が完成する。このような創作イメージも、やはり初期近代までは当てはまりません。画面のなかに作り手の名前が書き込まれることは、なかったわけではありませんが稀でした。ルネサンス以降は徐々に増えてきますが、サインが一般的になるのは19世紀になってからです。

サインの歴史に特異な位置を占める画家がいます。ルネサンス時代のドイツの画家、アルブレヒト・デューラー（1471〜1528、図3）です。

彼はモノグラムのサインを考案し、自作に用いました（図4）。このサインを偽造した模作が出回った際に、偽造者に対して訴訟を起こしたことさえあります。史上初の著作権をめぐる裁判と言われます。ただし前述のとおり、まだ著作権は法として定められていません。判決ではサインの偽造は禁じられましたが、模作についてはお咎《とが》めなしでした。なおデューラーは、独立した作品として自画像を描いた最初の人物ともされています（彼以前にも、画中の人物像に画家が自分の顔を描き込むことはありました）。

　こうしたことからデューラーは、画家が職人から芸術家になる転換点にある人物ともみなされます。そのためもあって、ルネサンス時代に「芸術家」が誕生したと語られることもあります。たしかに一理ある見解です。ルネサンスは、絵画と機械的技術の違いが意識され始めただけでなく（第1章の4－1を参照）、詩人や画家が次第に新しさや独自性を目指すようにもなった時代でもありました。

　とはいえ第1章で見たように、言葉の変遷に注目するなら、「芸術家」が誕生するのは18世紀末になってからです。

図3　アルブレヒト・デューラー《1500年の自画像》1500、アルテ・ピナコテーク

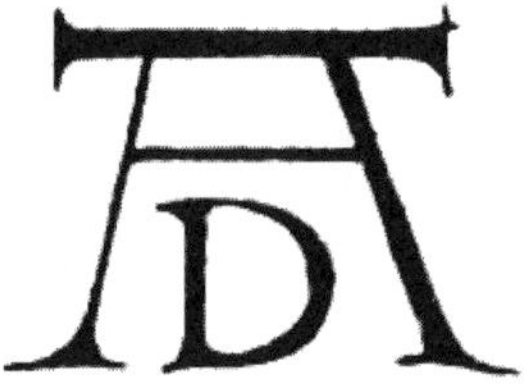

図4　デューラーのモノグラム

もちろん概念の形成や言葉の登場は現実よりも遅れるものなので、言葉を指標にすると多少のタイムラグは生じることでしょう。しかしそうであっても、作品と一対一の関係で結びつけられる独創的な「作者」としての、つまりそれまでの職人とは決定的に異なる芸術家像が成立するには、デューラーから300年ほど待たねばなりません。

3-2 独創的な作品を創造する天才（18世紀以降）

初期近代の中頃から、芸術をとりまく環境が変化しはじめ、芸術家は徐々に自由な創作ができるようになっていきます。そうして18世紀末にもなると、作品は芸術家の自己表現であり、芸術家とは独創的な天才だ、という思想が広まります。ここに来て初めて、作品と作者は一対一の関係になり、クリエイティヴィティやオリジナリティが芸術に要求されるようになったのです。

さらに19世紀にかけて「早熟の天才」や「狂気の天才」といったイメージが流布し、芸術家は〝普通〟の人とは根本的に違うと考えられるようになりました。そうして「作者」が絶対的な存在になったのが、近代美学の特徴です。

†ギルドやパトロネージからの独立と芸術の公共化

まずは背景となった社会的変化について概観しておきましょう。

第1章で紹介したとおり、16世紀後半から17世紀にかけて、画家や彫刻家や建築家の所属がギルド（同業者組合）から美術アカデミー（公的な専門学校）へ移っていったことが大きな出来事でした。彼らは職人との差別化を図り、やがて「芸術家」と呼ばれるようになります。これによって社会的な地位が向上しただけでなく、ギルドの協定によって生産や販売が制限されることもなくなりました。

芸術鑑賞についても変化がありました。市民階級の台頭を背景に、特権階級でなくても芸術に触れることができるようになったのです。

現代では誰でも料金を払いさえすれば、身分にかかわらず演奏会や展覧会に入場できるのが普通です。そうした公開の演奏会や展覧会が登場したのは、ヨーロッパでは17世紀のことでした。美術展については、フランス王立絵画彫刻アカデミーが開催した「サロン展」が嚆矢《こうし》となりました（初回は1667年、1737年から定期開催。19世紀前半は入場無料でした）。そして18〜19世紀にかけて、市民に開かれた美術館や劇場やコンサート・ホールなどが各地に増えていきました。

文芸でも、18世紀に小説が誕生したことが転換点になりました。小説とは、荒唐無稽なファンタジーではなく、人間や社会の姿を現実に即して描いた物語のことを指します。18世紀は識字率が向上し、印刷産業が飛躍的に発達した時代でもあります。中産階級も読書に親しむようになり、数多くの本や雑誌が人々の手に渡るようになりました。小説はそうした新しい読者層に人気を博し、文芸の主要ジャンルにまで発展しました。

こうした芸術の公共化によって、芸術家は不特定多数の人々を顧客にできるようになりました。美術市場の仕組みが整い、美術商が職業として確立されていったのも同じ頃です。同時にパトロネージは減っていきます。

そうして18世紀の後半には、フリーランスの芸術家が登場しました。資本主義経済が成立した19世紀にもなると、芸術家はさらに自由に活動できるようになり、チケットや書籍の販売などで生計を立てる、現在のようなかたちが一般的になりました。

ギルドとパトロネージから独立した芸術家は、もはや職人とはみなされず、自由に表現した作品を世に出すことができるようになりました。

18世紀の後半には
フリーランスの芸術家が出てくる

もちろん評判や収益を上げるために、大衆やアカデミーの好みに迎合せざるをえないことはあるでしょう。それでも、ギルドの規定や主君のようなパトロンの指示に従わなくてもよくなったというのは、作り手にとって非常に大きなことです。しかし裏を返せば、自分の個性をアピールしなければならなくなったということでもあります。

†模倣から表現へ（ロマン主義の芸術）

このような環境の変化から、芸術制作における作り手の立ち位置も移り変わっていきます。

『鏡とランプ』（1953）という有名な研究書があります。著者はアメリカの文芸研究者M・H・エイブラムズです。この本でエイブラムズは、18世紀から19世紀に入る頃を境にして、芸術や芸術家の役割が「鏡」のようなものから「ランプ」のようなものに変化した、と指摘しました。どういうことでしょうか。

第1章で触れたように、古代ギリシャでは、文芸や絵画などは現実の何かを模倣（再現）したものだと考えられました。これを源流にして、芸術の本質は模倣であるという考えが18世紀中頃まで支配的でした。シャルル・バトゥーにも見られた見解です。この思想をエイブラムズは「模倣理論」と呼びます。

ところが18世紀も終わりに近づく頃になると、「芸術とは作者の内面（とくに感情）を表現したものだ」という新しい思想が広まります。これをエイブラムズは「表現理論（表出理論）」と名づけました。

模倣理論では、たとえばリンゴの絵は現実のリンゴを再現したものだ、とみなされます。作品と描写対象、このふたつの関係がメインです。作品は外界にある現実のリンゴを忠実に反映すること、つまり鏡になることが理想です。芸術の源はリンゴという自然物にあります。

表現理論では、リンゴの絵は現実のリンゴから画家が感じたことを表現したものだ、と考えられます。作品と描写対象の関係に、作者の存在が割り込んできます。芸術家には、自分の心を外界にあるリンゴへ投影すること、みずから光を放つランプになることが求められます。芸術の源は芸術家にあります。

当然、芸術鑑賞に対する姿勢も変わってきます。表現理論では、受容者は作品をつうじて作者の感情を追体験できるのであり、追体験すべきだと考えます。それゆえ芸術体験とは、作者→作品→受容者という方向で、作者が感じたものを伝達することだとみなされま

図5　ウジェーヌ・ドラクロワ《民衆を導く自由の女神》1830、ルーヴル美術館

す。作者を頂点にした、一方通行の関係です。

表現理論が主流になった近代においては、作品はもはや生みの親である芸術家と切り離して考えることができません。

こうした表現理論を体現するものが、18世紀末〜19世紀中頃にかけて隆盛したロマン主義の芸術です。ロマン主義と呼ばれる芸術はかなり多岐にわたりますが、代表的な芸術家を挙げるなら、ドイツの詩人ノヴァーリス、フランスの画家ウジェーヌ・ドラクロワ、パリで活躍したポーランド出身の音楽家フレデリック・ショパンなどが輩出されました。

ノヴァーリスは夢や死といった幻想的な世界を紡ぎだし、彼の物語に登場する「青い花」はロマン主義を象徴する言葉にもなりました。ドラクロワは《民衆を導く自由の女神》（図5）に見られるような、躍動的な色彩表現が特徴的です。ショパンは内省的で詩情溢れる作風から「ピアノの詩人」と呼ばれました。

これはほんの一例ですが、なんとなく傾向がつかめるかと思います。ロマン主義の芸術は、冷徹に思考することよりも、想像力の飛翔に身を委ねます。自分の内面世界へと向かい、溢れ出る感情を率直に吐露《とろ》します。モチーフとしては、極めて個人的な体験や、理性では捉えがたいものが好まれました。神秘体験、恋愛、自然体験、旅、憧憬、夢、黄昏《たそがれ》や夜などです。

ロマン主義の芸術が下火になったあとも、ロマン主義的な表現理論は20世紀初頭までさかんに提唱されました。ロシアの作家レフ・トルストイ（1828～1910）の『芸術とは何か』（1897）は、表現理論を定式化したものとして有名です。

用語について補足しておくと、現代美学では「芸術の本質は感情の表現である」とする見解の全般を「表現理論」と呼ぶこともあります。その場合、作品が表す感情は作者が感じていたものとは限らない、とする立場も含まれます（実際には悲しくなくても悲痛な作品を作ることは不可能ではありませんし、作品から掻き立てられる感情は描かれた人物や情景からくるものと考えることもできます）。こうした立場は、ロマン主義的な表現理論とは区別されます。

†天才としての芸術家像

さて、芸術の本質は作者の内面表現にあると考えられるようになるのと並行して、「偉大な芸術家は天才である」という考え方も発展していきます。

時代を少し遡りますが、17世紀の末から、傑出した才能を持った人を「天才」と呼ぶようになりました（この詳細は次節で扱います）。18世紀には天才について活発に論じられるようになり、「天才」が一種の流行語のようになります。

当時おもに天才とされたのは、ニュートンのような科学的な天才と、シェイクスピアのような芸術的な天才でした。共通する特徴は「新しさ」です。科学者は画期的な発見をなし、芸術家は斬新な作品を生みだします。

そうした天才の性質は、「独創性」という概念で定義されました。他の人やものの真似ではない、新しいものを生みだす能力や性質のことです。つまり天才とは新しい発見や作品をもたらす独創的な人だ、と定められました。

こうして芸術家が天才の概念と結びつけられたときに初めて、新しいものを生みだすことが芸術に不可欠の要素になったのです。

なお、18世紀の中頃から末までをロマン主義の前駆時代と捉えて「前ロマン主義」と呼ぶこともあります。天才論は前ロマン主義の時代から盛んになり、表現理論が成立する土壌にもなりました。前ロマン主義〜ロマン主義に特徴的な、芸術家を天才とみなす思想は「天才美学」とも（とくに文芸理論で）呼ばれます。

ところで、ある人が本当の天才かどうか見分けるにはどうすればいいのでしょうか。天才の主要な特徴とされたものを整理してみましょう。

まず、天才は先天的な才能だと考えられました。人が天才かどうかは生まれたときから決まっていて、あとから模倣や訓練によってなれるものではないということです（ただし18世紀前半の議論では、生まれつきの天才だけでなく学習や訓練によって才能が開花するタイプの天才もいる、という意見も多くありました。しかし世紀の後半になると、天才の生得性が強調されていきました）。

また、天才は自分でも創作をコントロールしたり説明したりできない、と考えられました。天才の偉業は、定められた手順に沿って作業することで達成されるようなものではありません。突然の閃き（インスピレーション）によって、我を忘れるほど熱中して一挙になされるものだ、と捉えられました。

なおこの点に関連して、ドイツの哲学者イマヌエル・カント（1724〜

芸術家と天才の概念が結びついて独創性が芸術に不可欠なものに

1804）は自然科学と芸術の違いを指摘しました。近代美学の古典『判断力批判』（1790）のなかで、彼は次のように言います。自然科学の天才は、ニュートンが『プリンキピア』（1687）を執筆したように、自分の発見を理論にできる。それによって他の人も学べるのだから、ニュートンと弟子には程度の差があるにすぎない。しかし芸術ではそうはいかない。それゆえ芸術家こそ天才と呼ばれるにふさわしい、と。

現在では天才と言えば、飛び抜けて頭のいい人を想像するのが普通かと思います。しかし近代では、芸術家こそ天才の代表だと考えられたのです。この背景には、18世紀の天才論が新旧論争（第1章の4－1を参照）をきっかけに進展していったことがあります。カントによって、新旧論争を経て意識されるようになった自然科学と芸術の違いについて、天才の概念で説明できるものになりました。

天才は生まれつきの才能で、本人はどうやって作品を生みだしたのか説明できないということは、天才は規則や技術に頼っていないということです。「天才」は「規則」や「技術」に基本的に対置される概念です。

そのため、もともとは技術の一種であったはずの芸術が、天才の概念が発達するにつれて技術から乖離していくことになります。古代から中世までのアート（技術）は合理的なものでしたが、近代のアート（芸術）はむしろ非合理性を特徴とします。

その最たるものが、真の天才は人や集団の早い時期に現れる、という思想です。若者や子ども、あるいは文明がまだ発達していない原始的な社会のことです。

人については、いわゆる「早熟の天才」という考えです。正規の高等教育を受けていないとされるシェイクスピアは、そうした天才イメージのモデルになりました。原始社会については、古代ギリシャの詩人ホメロスが象徴的な存在とされました。

そうした人々は、人や社会がまだ洗練されていないため、振る舞いが奔放だったり、無学であったり、さらには表現が荒削りだったりします。それがかえって天才のしるしだと考えられました。

規則や技術に縛られない天才という芸術家のイメージは、つねに反論はありながらも、18世紀後半から19世紀にかけておおいに持て囃《はや》されました。

19世紀には、さらに「狂気の天才」というイメージが流布します。これには精神病理学で検証が試みられたことが影響しました。なかでもイタリアの医学者チェーザレ・ロンブローゾ（1835／36〜1909）による『天才と狂気』（1864）は大きな反響を呼びました。精神疾患は天才芸術家のエピソードとして好まれやすい傾向がありますが、直接的には19世紀の産物です。

†神格化された芸術家

自己表現する天才とみなされるようになった芸術家は、神のような存在にまで祭り上げられることになります。

ただし芸術家を神として表現する思想自体は、ルネサンス時代から見られます。ルネサンスを代表する学者レオン・バッティスタ・アルベルティ（1404〜72）の著作に、『絵画論』（1435）というものがあります。遠近法（一点透視図法）の理論を確立したことでも有名な文献です。自身が建築家や画家、さらには詩人や音楽家でもあったアルベルティは、この本のなかで画家を「第二の神」と呼びました。画家が作品を生みだすことを、神が世界を創造することになぞらえたのです。

これを思想的な背景にして、彫刻家のミケランジェロ・ブオナローティは同時代の人々から「神のごときミケランジェロ」と呼ばれました。またデューラーの自画像のなかでも有名な図3は、正面を見据える形式などから、自分をキリストになぞらえた表現になっています。

「第二の神」というフレーズは、16世紀の詩論を経て、18世紀初頭にイギリスの哲学者シャフツベリ伯爵（1671〜1713）によって再びとりあげられます。

シャフツベリは偉大な詩人を「第二の創造主、まさしくゼウスの下のプロメテウス」と表現しました（『独白、作者への助言』1710）。「第二の創造主」は「第二の神」と同じ意味です。ゼウスはギリシャ神話の最高神で、プロメテウスは人間を土から作り、人間に火や技術を授けたとされる神です。

芸術家をプロメテウスとする思想は、前ロマン主義〜ロマン主義の時代に天才の概念と結びつき、とくにドイツで流行しました。ヨハン・ヴォルフガング・フォン・ゲーテの詩「プロメテウス」（1774）はその一例です。ゲーテはシェイクスピアや自分自身をプロメテウスになぞらえる言葉も残しています。

ところで、18世紀後半〜19世紀前半に生きたルートヴィヒ・ヴァン・ベートーヴェンの肖像画には、芸術家が神格化されていく様子がよく表れています。

ベートーヴェンと聞いて多くの方が思い浮かべるのが、図6の肖像画でしょう。子どもの頃に学校の音楽室に飾ってあって怖かった、という話もよく聞きます。鋭い眼光、逆立つ毛、上気した頰、きゅっと結んだ口元などが特徴的です。難聴という逆境に屈しない、強い意志を感じさせます。ベートーヴェンが50歳くらいの頃に描かれたものです。

ところが30歳頃の肖像画を見ると、ずいぶん印象が違います（図7）。優しい目つきや柔らかそうな髪など、親しみを感じさせる顔つきをしています。これと似たような肖像画は他にも残っており、こちらのほうが実際のベートーヴェンに近いと考えられています。

しかし険しいほうの肖像画が受け継がれ、様々な芸術家によって繰り返し描かれることで、ベートーヴェンの顔として定着しました。なかでももっとも極端な表現と言えるもの

図6　ジョセフ・カール・シュティーラー《ミサ・ソレムニスの楽譜を持ったベートーヴェンの肖像》1820、ベートーヴェン・ハウス

図7　クリスチャン・ホーネマン《ルートヴィヒ・ヴァン・ベートーヴェンの肖像》1803、ベートーヴェン・ハウス

が、ドイツの彫刻家マックス・クリンガーによる《ベートーヴェン記念碑》です(口絵2)。

このベートーヴェンは半裸です。音楽家なのになぜ半裸なのでしょうか。ギリシャ神話の神になぞらえられているからです。ここではプロメテウスでさえなく、最高神ゼウスのようです。私が連想するのは図8の彫像です。服装や、大きな台座に正面を向いて座る様子だけでなく、足元に大鷲がいる点も共通しています。大鷲はゼウスの目印になるモチーフです。

図8 《ゼウス像》1世紀、エルミタージュ美術館

私はこのクリンガーの作品を偶然、ドイツの所蔵美術館で観る機会がありました。

彫刻は3メートル以上の高さがあり、台座だけでも私の身長くらいあります。展示室の中央に鎮座するこの像を見上げていると、まさに神として表現されていることがありありと伝わってきました。

4　芸術家にまつわる概念の変遷

職人から神のごとき天才へのこうした変化は、どのようにして進行していったのでしょうか。美学史の観点から、概念の変遷についてもう少し細かく見てみましょう。

4-1　ジーニアスの人間化

†ゲニウス（守護霊、守護天使）

まずは「天才」の概念について整理します。

英語で天才は「ジーニアス（genius）」と言いますが、もとのラテン語でも同じ綴りで

「ゲニウス」と発音します。古代ローマでゲニウスとは、それぞれの人や土地につく守護霊を指す言葉でした。キリスト教が広まってからは守護天使を意味するようになりました。ヨーロッパの芸術を見ていると、元来の意味でのジーニアスを表した作品に出会うことがあります。

図9は《アレクサンドル1世のジーニアス》という絵画です。ナポレオンと戦ったロシアの皇帝、アレクサンドル1世にフランスの画家から献呈された作品です。羽の生えた人物が、盾と、勝利を象徴する棕櫚《しゅろ》の枝を手にしています。

図9　エリザベート＝ルイーズ・ヴィジェ＝ルブラン《アレクサンドル1世のジーニアス(守護天使)》1814、エルミタージュ美術館

この絵画のタイトルを「天才アレクサンドル1世」と訳しているものを見かけたことがあります。しかしこの中性的で柔和な姿は、皇帝の他の肖像画とずいぶん雰囲気が違います。これはアレクサンドル1世ではなく、彼の守護天使を描いたものです。

またパリのバスティーユ広場に行くと、中央に大きな柱が立っています。七月革命

図10　オーギュスト・デュモン《自由の天使》1833〜36、バスティーユ広場

の記念碑で、頂上には《自由の天使》と呼ばれる黄金の天使の像があります（図10）。ここで「天使」と訳されている語は、エンジェルではなくジーニアス（フランス語で「ジェニ」）です。

では、守護霊や守護天使を意味していたジーニアス（ゲニウス）は、どのようにして天才を、つまり人間を指すようになったのでしょうか。ここから少し込み入った話になります。

†インゲニウム（生得的な素質・能力）

「ゲニウス」という語は、ルネサンス以降に「インゲニウム（ingenium）」という別の語と混同される、という事態が起こりました。

インゲニウムはゲニウスと似たような語形ですが、もとの意味は違います。それぞれの人が生まれつき持つ素質のことを指しました。たとえば詩の才能がある人を「詩を書くためのインゲニウムを持っている」と言いました。

インゲニウムはよい素質だけを意味していたわけではありません。怒りっぽいとか、怠け者だとか、悪い意味でも使いました。原義としては、よしあしについてはニュートラルです。

その半面、とくに優れた素質だけを指すこともありました。日本語でも「素質」はよい性質も悪い性質も指しますが、「素質がある」という場合にはよい意味になります。生まれ持った性質の全般ではなく、天賦《てんぷ》の才のみを指すこうした用法から、ゲニウスとの融合が起こります。

†ゲニウスとインゲニウムの混同

16世紀以降、フランス語や英語でゲニウスがインゲニウムと同じような意味で、つまり優れた素質という意味で用いられるようになります。「誰々は（よい）インゲニウムを持っている」というのと同じ意味で、「誰々はゲニウスを持っている」と表現されるようになったのです。卓越した素質を持っている人は守護天使の大きな加護のもとにある、と考えられたからでしょう。

ただし、どうしてふたつの語の混同が起こったのか、細かい経緯は解明されていません。フランス語の場合はおそらく、インゲニウム（フランス語で「アンジャン」）が戦争や狩猟の道具という別の意味で使われることが多くなったので、素質というインゲニウム本来の意味を示すために、語形の近いゲニウス（ジェニ）が借用されたのだろう、と言われています。

さらに17世紀の末になると、フランス語で「誰々がゲニウスである」という言い方がなされるようになります。この表現では、ゲニウスは守護天使でも素質のことでもなく、その素質を持った人を指しています。この用例が出現したことをもって、「天才」という概念が成立したとみなされます。

こうしてゲニウスは守護霊や守護天使という意味から、卓越した素質を持った人のことを指すようになりました。

人をゲニウスと呼ぶ用法はイギリスとドイツにも導入され、18世紀には天才について盛んに論じられました。

イギリスの文筆家のジョゼフ・アディソン（1672〜1719）は1711年、自身が編集する雑誌に天才についてのエッセイを掲載しました。これが天才を主題にした最初期の論考とされます。その後、イギリスの哲学者アレグザンダー・ジェラード（1728〜95）が『天才論』（1774）を執筆し、天才について体系的に論じました。さらに世紀の終わりには、先に触れたカントが『判断力批判』でそれまでの議論をまとめました。

こうして天才論が展開されていくなかで、芸術家がクリエイションやオリジナリティといった言葉で説明されるようになっていきました。そしてこれらの言葉もまた、その過程で意味に変更が加えられます。順に見ていきましょう。

4-2　クリエイションとオリジナリティの人間化

†神のクリエイション

現代では、広告やウェブサイトなどを制作する人をクリエイターと呼び、そうした職種をクリエイティヴな仕事と言います。何かを制作することが広くクリエイションと捉えられているようです。

しかしヨーロッパのキリスト教文化では、言葉のもとの意味からすると、人間が「クリエイション」をすることは不可能です。人間を「クリエイター」と呼ぶことも、中世以前にはありえません。

クリエイションとは本来、キリスト教の基本的な教義である「無からの創造」を示す概念です。神が最初にこの世界を創ったことをクリエイションと呼ぶのです。「無から」というのがポイントです。これはお手本やルールに従っていないというだけでなく、何も材料がないところから生みだしたことを意味します。材料なしに何かを作ることは人間にはできません。家なら木や石、絵画なら絵具が必要です。

クリエイションをできるのは神だけです。クリエイター（創造主）も神だけです。そのため、クリエイションやクリエイト（創造する）という語が、人間に対して用いられることとはありませんでした。人間が何かを作ることは、英語の「メイク」に相当する語で表現されました（ラテン語では「ファケレ」と言います。英語の「ファクトリー（工場）」などの語源です）。

†芸術家のクリエイション

人間の制作と神の創造は、言葉のうえでも厳密に分けられていたのです。

ところがルネサンス時代になると、前述した「第二の神」という思想の影響で、芸術の創作を神の創造になぞらえるような表現がなされるようになっていきます。

ただしここではまだ直接的な表現ではありません。「創造する」ではなく、「自然界にないものをもたらす」とか「新しい世界をかたちづくる」といった言い方がなされていました。

そこから17世紀に入ると、はっきりとクリエイションという語が使われ始めます。最初期の例としては、ポーランドの詩人マチェイ・カジミェシュ・サルビェフスキ（1595〜1640）が挙げられます。彼は、詩人は「何らかの創造によって」「神のように」「新しいものを創造する」などと記しました。

さらにフランスの美術史家アンドレ・フェリビアン（1619〜95）は、画家はまったく新しいものを表すことができるのだから「いわば創造者である」と述べました。

18世紀にはこうした表現も散見されるようになります。ドイツ語圏では神学を応用した詩論も出てきました。そうして、芸術家＝神（創造主）、作品＝世界、芸術創作＝世界創造というアナロジーが成立します。

そうは言っても、18世紀中頃はまだストレートな表現をするのは憚《はばか》られたようです。この段階ではサルビェフスキやフェリビアンのように、「創造のようなもの」や「いわば創造者」といった留保が必ず付けられていました。

クリエイションを人間に対して用いる、この新しい用語法に反対する意見も根強くありました。バトゥーなどは、人間にクリエイションはできないと主張しています。

18世紀の天才論でも当初は、科学者の発見と芸術家の創作はどちらもクリエイションではなく「インヴェンション」と呼ばれました。インヴェンションは今では「発明」の意味で用いられることが多い語ですが、「ディスカバリー」との区別はそれほど意識されていませんでした。芸術におけるインヴェンションとは「創案」や「発想」というニュアンスで、古代から文芸などに関して使われていた言葉です。

クリエイターが神と芸術家を意味するようになる

芸術家の創作がクリエイションという言葉とはっきり結びつけられるようになったのは、イギリスの牧師ウィリアム・ダフ（1732〜1815）の役割が大きかったようです。

彼は『天才についての試論』（1767）という著作のなかで、インヴェンションという語と併せて、科学についてはディスカバリーを、芸術についてはクリエイションを用いました。

そうして19世紀に入る頃になると、「いわば」などの留保の言葉なしに、芸術家についてクリエイションやクリエイターといった語が使われるようになりました。

こうして18世紀を境に、神だけを指すことが許されていた「クリエイター」が神と芸術家を指すようになり、神による無からの世界創造を指す語であった「クリエイション」が新しい作品を生みだすことも意味するようになったのです。

†オリジナルとオリジナリティ

天才または天才が生みだしたもの（科学的発見や芸術作品）に対して、その新しさを「オリジナル」や「オリジナリティ」と言う用法も、天才論の進展とともに成立したものです。

原義からすると、オリジナルとは「オリジン」（ラテン語の「オリーゴー」）つまり起源や根源に関わることを意味します。一番のおおもと、ということです。

この世界で一番の根源とは何でしょうか。キリスト教の考えでは、それは神です。もっともオリジナルな存在、もっともオリジナリティのある存在とは、神のことを指しました。

この語の歴史を簡単に辿ってみましょう。「オリジナル」に相当するラテン語は、まず形容詞で使われました。古代末期からキリスト教の「原罪」が「オリジナルな罪」と表現されたのが始まりです。さらに中世以降は「オリジナルな文書」と言うことで古文書の「原本」を意味しました。中世末期には名詞化し、「オリジナル」だけで原本を意味するようになりました。

「原本」というオリジナルとコピーの関係を示す用法から、芸術についてもこの語が用いられるようになります。とはいえ最初は「独創的」という意味はありませんでした。

ルネサンス以降、絵画の模作や贋作《がんさく》に対して、もとの作品をオリジナルと呼ぶようになります。ただしルネサンス時代はまだ著作権もなく、模作は大きな問題ではなかったのでした。贋作と真作の区別が重要になり、鑑定の文脈でオリジナルという語が定着するのは、17世紀になってからのことです。

さらに、芸術の描写対象のこともオリジナルと呼ぶようになりました。たとえば現実のリンゴと、それを描いた絵画があるとします。模倣理論では、絵画は現物を模倣したものと捉えられます。ですので、現実のリンゴがオリジナル、それを描いた絵画がコピーとみなされます（美学では、この意味でのオリジナルとコピーのことをそれぞれ「原像」と「模像」

と呼びます）。

このように17世紀以前の芸術論では、模作に対する原作、贋作に対する真作、あるいは作品（模像）に対する描写対象（原像）のことをオリジナルと言っていました。

それが18世紀になると、新しさのある作品や、そうした作品を生みだす人をオリジナルと呼ぶようになります。この用法は、イギリスの詩人エドワード・ヤング（1683〜1765）が『独創的作品についての考察』（1759）を公表したことによって確立されました。18世紀半ばになってやっとです。

さらにダフの『天才についての試論』によって、オリジナリティについての定義が確立されます。ダフによれば、天才の性質としてのオリジナリティとは、何か新しく類稀《たぐいまれ》なものを発見する、生得的で根本的な精神の力です。

こうして近代に、ジーニアスやクリエイションやオリジナルといった、もとは神や天使に関する概念が人間にも適用されるようになりました。このことは、作品の源が神や自然ではなく芸術家に求められるようになったことを反映し、芸術家が神に比する存在になったことを示しています。「独創的な天才が世界を創造する」という表現は言葉の使い方からして、近代以降に初めて可能になったものでした。

5　作者と作品の関係をどう捉えるか？

†ケルン大聖堂にて

　個人的な体験ですが、十数年前に初めてドイツを旅行したとき、古都ケルンを訪れました。駅のすぐ目の前にはケルン大聖堂が聳《そび》えています。中世のゴシック様式で建てられた聖堂で、高い天井と壮麗なステンドグラスが特徴です（現存の建物は13世紀に着工、19世紀に完成）。

　駅前の雑踏を抜けて、大聖堂へと足を踏み入れた瞬間、荘厳な空気に息を呑みました。天へ引っ張られるような上昇感に、思わず仰ぎ見ずにはいられません。人々の足音やひそひそとした話し声が、葉擦《はず》れのように柱のあいだをこだましています。歩を進めるたびに巨大なステンドグラスが現れ、薄暗い堂内に神秘的な光を投げかけています。

ところが一箇所だけ、明らかに雰囲気の異なる場所がありました。人だかりができて、観光客が群がっていたのです。

人々の視線の先には、カラフルでポップなステンドグラスがありました（口絵3）。ドイツの現代芸術家ゲルハルト・リヒターがデザインしたものです。私が訪れた少し前の2007年に完成していました。

リヒターは作品に数十億円の値がつくことでも知られる、もっとも著名な現代芸術家のひとりです。現代アートに疎《うと》い私は、恥ずかしながらリヒターの作品があると知らずにケルンを訪れました。しかしこのステンドグラスのように色彩をグリッド状に並べるスタイルは、リヒターの「カラーチャート」と呼ばれるシリーズとしてすでに有名でした。

そのためステンドグラスを見た私の頭には、この芸術家の名前や顔、他の作品などが浮かんできました。大聖堂の厳粛な空気に圧倒されていたところに、リヒターという生身の人間が意識にのぼったことで、心は日常世界へ一気に引き戻されました。

リヒターのステンドグラスを非難するつもりはありません。ちょうど陽光が差し込むと色とりどりの光が溢れて、ゴシック建築に意外と合うとさえ感じました（当初は賛否両論あったようですが、現在では現代アートの傑作のひとつと評価されています）。

とはいえアートイベントに来たかのようながやがやとした周囲の様子もあって、興醒めしてしまった、というのが正直なところです。

†作者と独創性の偏重

ケルン大聖堂での経験は、中世の教会という特定の作り手と結びつけられていない宗教芸術に浸っているときに、予想外のかたちで近代的な「作者」個人が突然顔を出し、そのことに違和感を覚えた、というものでした。

翻って普段の自分を顧みると、芸術作品に向かい合うときに「これは誰が作ったのか」とか「その人はこの作品で何を表現しようとしたのか」とつい考えていることに気がつきました。作品を鑑賞したり、作品について語ったりすることと、作者を知ることがセットになっているのです。展覧会などで作品より先にキャプションを見てしまうのは、そうした意識の表れでしょう。

こうした意識が私のなかに植えつけられていたのは、個人の問題だけではありません。

実際に20世紀初頭までは、芸術作品の研究と言えば、作者を研究することとイコールになっていました。作者の日記や伝記あるいは当時の社会情況などを調べて、作品を作ったときに作者はどのような境遇にあって、どのような精神状態にあったのか、と推測する方法です。そこから、恋愛で挫折した感情を昇華させようとしたのがこの作品だなどと、現実での出来事を作品のなかに読み込んで解釈します。現在でも一般には馴染みのある手法ではないでしょうか。

さらに現代は、作者個人のオリジナリティが極端なまでに重視されている世の中だと言えます。私たちは幼い頃から、とにかく「自由な発想で」創作することを期待されます。作品のよしあしについて語るときは、コンセプトは何か、他人にない発想があるかどうかがおもな評価軸になります。公表された作品が他人の作品に似ていたら問題になります。

しかしながら、こうした姿勢はロマン主義的な近代美学に基づいたものです。偉大な芸術作品とは独創的な天才が自己表現したもので、受容者は作品をつうじて芸術家を追体験すべきである、という思想が前提にされています。

もちろん現代では著作権が定められている以上、それに抵触しないようにする必要はあります。しかしあまりにも独創性が偏重されると、今までにないものばかりを追求して、奇を衒《てら》うことが創作の目標になることもありえま

作者と作品は
どこまでセットなのか？

す。鑑賞する側も、新奇性があるからこそ優れていて、類例があれば駄作だと評価する傾向に陥ってしまいます（伝統工芸など、独創性を目標にしていない作品はたくさんあるにもかかわらず）。芸術が発想コンテストのようになり、作る側も鑑賞する側も疲れてしまわないでしょうか。

さらには、アイデアがすべてで、技術を磨くことや知識を蓄えることはなおざりにしてよい、という態度を生みかねません。18世紀後半には実際、技術や知識は邪魔だと主張する人々が出てきました。

そうした態度に対しては、当時から諫《いさ》める声がありました。たとえば偉大な先人を模倣して学ぶときは、作品の表面を真似するのではなく、作品を丹念になぞりながら芸術家の精神を感得することが重要です。そうすることで、その先人のような独創的な芸術家になることができる、と指摘されました。絵画の模写や文芸の文体模写などは、独創性を得るためにむしろ重要な訓練だと言えます。

作る側も鑑賞する側も、そろそろ近代の「独創的な天才」という呪縛から逃れてもよいのではないでしょうか。

†近代的「作者」の乗り越え

先に触れた作品研究の方法について、その後の流れも紹介しておきます。ときおり「文学部では作者の気持ちを考えてばかりいる」などという揶揄《やゆ》を目にすることがあります。ロマン主義的な方法論に対する批判としては興味深いものですが、文芸（芸術）研究に向けた嘲《あざけ》りとしては、言うまでもなく見当違いです。

20世紀以降、芸術に携わる人々はすでに、近代的な作者と作品の関係を乗り越えようとしてきました。

先駆的だったのは、1930～50年代の英米で台頭したニュー・クリティシズム（新批評）と呼ばれる一派です。彼らは文芸批評に関して、伝記や歴史的背景などから作品を読解する、それまで主流だった方法に異議を唱えました。文芸作品はそれだけで完結した世界であり、その解釈は作者ではなく作品のなかの言葉からのみ引きだされるべきだ、と彼らは主張しました。

文芸批評の新しい方法を掲げたニュー・クリティシズムの姿勢は、アメリカの美学者モンロー・ビアズリー（1915～85）によって芸術全般についての理論に広げられました。ビアズリーは、作者の意図を勝手に推し量るのは間違いだ、と鋭く指摘しました（これを「意図の誤謬」と言います）。

さらにフランスの哲学者ロラン・バルト（１９１５〜８０）が、１９６７年に「作者の死」という論文を発表します。バルトは、文芸作品がまるで神のごとき作者から発せられたメッセージのように捉えられ、いまだに作品の読解が伝記や歴史的背景を根拠になされていることを批判しました。なお「作者の死」は、哲学者フリードリヒ・ニーチェ（１８４４〜１９００）の有名な「神の死」という言葉の捩《もじ》りにもなっています。

「作者の死」というインパクトのあるフレーズが独り歩きしがちですが、この論文でバルトが強調したのは「読者の誕生」が必要だということでした。作品は読まれることで完成するのであって、読者の存在にこそ注目すべきだ、というのです。

この流れを受けて１９７０年代になると、作品がどのように人々に受容されてきたのか、という観点から分析する方法が打ち立てられました。これを「受容美学」と呼びます。提唱したのはドイツの文芸理論家のハンス・ロベルト・ヤウス（１９２１〜９７）です。ヤウスは文芸について論じましたが、絵画や音楽などの分析にも応用され、現在では一般的な手法になりました。

このように、作品だけで完結したものとみなすニュー・クリティシズムのような立場と、作品と受容者の関わりに注目する受容美学という、ふたつの新しい方法論が登場しました。芸術研究の現場では、作者はもはや神のような絶対的な存在ではなくなっています。

作り手の側からも、近代的な作者像を覆そうとする試みはなされてきました。一例を挙げると、フランスの芸術家マルセル・デュシャンは、大量生産された既製品を展示する「レディ・メイド」という手法を生みだし、近代的な芸術観に一石を投じました。また20世紀末から盛んな、作品を見にきた人々が制作に参加する「参加型アート」は、受容美学と共通した理念を持っていると言えます。

†「作者の死」のその先に

それでは、「作者の死」を宣言されたあとの私たちには、作者の人生や人格から作品を解釈することは許されないのでしょうか。もちろんそういうわけではありません。

文芸研究では20世紀末以降、作者の存在の重要性が再び主張されています。私たちは長らく、歴史や文化などを語るときに、ヨーロッパなどの大国や特権階級にある成人男性を中心にして眺めてきました。そうした態度に自覚的

ロラン・バルトが強調したのは
「作者の死」より「読者の誕生」

になり、それまで光が当てられてこなかった人種や階級やジェンダーの人々に着目しようとする努力がなされています。そのようなポスト・コロニアリズム研究やフェミニズム研究などの観点から作品を分析する際には、作者の出自や経験が重要な考察材料になります。

また現代美学では、ビアズリーが「意図の誤謬」を指摘して以降、作者の意図は作品解釈にどこまで関与すべきものなのか、あるいは作者の意図とは何によって証拠づけられるものなのか、細かい議論がなされています。

たとえば公に行ったインタビューは考慮するけれど、プライベートな日記や書簡は度外視する、といった立場があります。作者も人間である以上、深夜や酔っ払っているときには思ってもいないことを日記に書いたり、私的な会話では流れでつい口が滑ってしまったりすることがあります。しかし公的な場での発言は、それとは区別して解釈に有効なものとみなすことができる、という考えもありうるからです。

重要なのは、そもそも作品のことをもっともよく理解しているのが作者だとは限らない、という点を念頭に置いておくことではないかと思います。

ドイツの哲学者ヴィルヘルム・ディルタイ（1833〜1911）は、「作者を作者自身よりもよく理解する」ことが解釈の目標だと言いました。作品の意味は作者から受容者へ一方的に伝達されるものではなく、作者と受容者が作品をつうじていわば対話することで生まれるものだ、という立場です。

こうした双方向的な姿勢は、芸術をいっそう豊かにするものではないかと思います。たとえ作者本人が「そんなことを考えて作ったのではない」と否定するような解釈であっても、誤りだと退けてしまうのはもったいないことです。多様な解釈があったほうが、芸術体験はより広がりのあるものになります。他の芸術家を思わぬかたちで触発し、素晴らしい作品が生みだされるきっかけになるかもしれません。

ここで紹介したどの手法が正解というわけではありません。作者研究、作品の内在的解釈、受容美学、様々な選択肢がありえます。どの手法をとると作品のよさが引きだされるのか、柔軟に変えることができるのが理想的なのではないでしょうか。そして美学史を学ぶことは、その柔軟さを得る手助けとなってくれることでしょう。

第3章

美——均整のとれたものから各人が感じるものへ

1　「美は感じる人のなかにある」

みなさんは絵本を読むことがありますか。よい絵本は大人になってから読んでも、はっとさせられることがあるものです。

「考える絵本」という、子どもに考える糸口を投げかけることを狙いにしたシリーズがあります(全9巻、大月書店、2009〜10)。愛、心、悪、死、人間など、とても哲学的なテーマに一流の執筆陣が取り組んだ、なかなか類例のない絵本です。

そのシリーズの第4巻が『美』です。著者は、芸術家で東京藝術大学の現学長でもある日比野克彦さんです。

芸術家は子どもに向けて美をどのように表現するのでしょうか。作中で「美」という言葉は一度も使われません。その代わり、少年「かつひこ」を主人公にした物語が描かれます。少年はある朝、美術館で絵画のなかの人物から朝顔の種を一粒もらいました。彼はその朝顔をまわりの人々と一緒に育て、そこからさらにたくさんの種を作っていきます。絵本のあとがきには、次のようなことを考えながらを作った、と記されています。

「美」とは創りだすものの形や色ではなく、受け取る人の中にこそあるのではないでしょうか？　ものを見て美しいと思うのは、そのものに美が存在するのではなく、それを感じることができる人の中にあるのです。

美とは美しいものにあるのではなく、ものを美しいと感じる人のなかにある。これが日比野さんの考えです。人々とともに朝顔の世話をして種を作ることは、美を感じることや、そうした心を育み広げることを表しているのでしょう。ちなみにこのストーリーは、著者が2003年から各地で実践している一連のアート・プロジェクトがもとになっています。

では、みなさんはどう思いますか。

美はもののなかにあるのでしょうか。感じる人の心のなかにあるのでしょうか。

多くの方が日比野さんに賛成するのではないかと思います。私は大学の授業でもよく同じ質問を投げかけてみるのですが、学生の回答では「美は心にある」という意見が圧倒的に多いです。同様の主張がデザイン雑誌やファッション雑誌などで語られているのを目にしたこともあります。

たしかに、自分が美しいと感じたものに対して他の人はそう思わなかった、という経験はよくあることでしょう。同じ人にとっても、あるものを美しく感じるときとそうでないときがあります。美は人それぞれ、時々の感じ方によって変わると考える方が、こうした現実をうまく説明できます。多様な価値観を認めることになるので、これが望ましい姿勢とも思えるのではないでしょうか。

他方で、私たちの周りにはもうひとつ根強い思想があります。美とは均整のとれたものであり、数や図形で規則を示すことができるものである、という見解です。

たとえば一般的には、人の顔は左右対称であるほど美しく、全身は8頭身が理想的だとされています。いわゆる黄金比は、人が本能的に美しいと感じる比率だと広く信じられています。

これはつまりプロポーション（釣り合いのとれた比率にあること）を美の基準にする考え方です。対称であることも、中心線からの距離が1：1であるという比率で表すことができます。私の数学科出身の友人は、こうした立場から「美とは数である」と言っていました。この理論では、美がものの側にあることが前提にされています。

ヨーロッパの美学の歴史を眺めてみれば、美はものの側にはなく個々人の感じ方による、という思想がはっきり提唱されて優勢になったのは、やはりほんの200〜300年前のことです。それ以前の2000年以上のあいだは、美を数学的に捉えるプロポーション理論が支配的でした。

どちらが正解かと考えるよりも、それぞれの思想がどのように形成されていったのかを知るほうが、美について考えるヒントになるのではないかと思います。

2　本章のポイント

第1〜2章では、芸術や芸術家という概念が17〜19世紀に形成されていった経緯をお話ししました。同じ頃、美の概念についても大きな変化がありました。

それが先ほど述べた、美はもののなかにある（数学的に捉えられる）という思想から、美は感じる人の心のなかにある（個々人の感じ方による）という思想への変遷です。それぞれ「客観主義美学」と「主観主義美学」と呼ばれることがあるので、本書でもこの「主観主義」と「客観主義」という区別を用います。美についての思想は、近代に客観主義から主観主義へと転換した、とポイントをまとめることができます。

ただし、先に断っておかなければなりません。

本書では分かりやすさを優先して、大きな流れを図式的に説明しています。実際には、美はいつの時代も様々に語られてきました。近代以前はプロポーション理論が主流ではありましたが、他の説もあり、なかには主観主義的な意見を表明した人々もいました。また現代でもそうであるように、近代にも客観主義的な見解がなくなったわけではありませんでした。

美はものにあるのか 人の心にあるのか

とはいえ、17～19世紀が大きな転換点であったことは確かです。この時代に、美はものにあるのか心にあるのかという問いが顕在化し、その問いに哲学者が真っ向から取り組んだからです。

その結果、それまでは道徳的または宗教的によいものが美しいとか、役に立つものが美しいといったふうに考えられていたところ、美はそうしたことに縛られないと捉えられるようになりました。これを「美の自律」と言います。美が独立した価値になったことは、第1〜2章で紹介してきたような、近代における芸術に関する変化とも連動しています。

以下では次のように話を進めます。

まず美をプロポーションで捉える思想について、その発祥である古代を中心に整理します（3　美の客観主義（古代〜初期近代））。

次に、美はものではなく心の側にあるとする近代の理論を紹介します（4　美の主観主義（18世紀以降））。前述のとおり美は様々に語られてきたことから、本章では思想家ごとにまとめる項目が多くなります。

最後に、主観主義美学への転換の結果、美の自律性が強調されるようになったこと、そしてそのことが孕《はら》む問題について考えてみたいと思います（5　美の概念とどのように付き合うのがよいか？）。

3　美の客観主義（古代〜初期近代）

本節の前半では、美を数学的に捉える思想の基本的な立場についてまとめます。後半では具体例として、人体のプロポーションについての理論を紹介します。

3-1　美は幾何学の原理に従っていると考えられた

†古代ギリシャ語の「美」

本章の解説も古代ギリシャから始めます。いきなり細かい話になりますが、まず言葉について確認しておく必要があります。

古代ギリシャ語で「美しい」は「カロス」と言います。この語は、英語のカレイドスコープ（万華鏡）の語頭kal-などに見つけることができます。

「美」を表す語は、形容詞のカロスが名詞化した「ト・カロン（美しいこと）」と、それとは別にカロスから派生した「カッロス」のふたつがあります。

カロスとト・カロンは、現在の私たちが美と呼ぶものよりも広い意味を持っています。これらの語からまっさきに芸術作品がもつ美のことを想定すると、本来の語義から大きく外れてしまうので、注意が必要です。

たとえば服や武器などの人工物について言われるときは、見た目の美しさではなく性能のよさを指していることがあります。さらには物質的なものだけでなく、知識や法律や制度など、抽象的なものに対しても使われます。なかでも道徳的に正しい行為や人を指すことがよくありました。古代ギリシャ語には、善いことと美しいことを同時に表す「カロカガティア（善美）」という言葉もあります。

つまりカロスには「美しい」だけでなく、うまく作られた、立派な、見事な、優れた、よい、素晴らしい、道徳的によい、高潔な、といった意味があります。対応する英語は「ビューティフル」より「ファイン」とするほうが適切だという意見もあります。

以下、本書の古代ギリシャに関する記述で「美しい」という語が出てきたら、基本的には「立派な」や「見事な」などと置き換えることができる意味だと思ってください。

ここまで読むと、それなら「芸術」と同じように「美」の概念も古代ギリシャにはなかったことになるのではないか、と思った方もいらっしゃるかもしれません。研究者のなかにも、こうした疑念に突き当たって困惑を示した人もいます。美の概念史をそのように語ることも不可能ではないでしょう。

しかし「カッロス」のほうは、もっと用法が限られていました。第一義としては人体がもつ外見的な魅力を指します。そこから、鳥や衣服あるいは蜂の巣といった、具体的なものがもつ見た目のよさも指しました。現代の「美」とやはり範囲は完全には一致しませんが、この語は「美」と訳せるでしょう。

また、美を性能のよさや道徳的な善と結びつけることは、古代ギリシャに限ったことではありません。近代に入っても、英語の「ビューティ」やフランス語の「ボーテ」なども、そのようなものとして論じられてきました。すでに少し触れましたが、美を機能や道徳などから分離すべきだと主張されるのは、18世紀になってからのことです。

そのため美学史では、美の概念は古代からあったけれども、近代に初めて自律した概念になった、と捉えられます。

†宇宙と美の原理としての数（ピュタゴラス）

さて、美をプロポーションで捉える理論を創始したのは、古代ギリシャのピュタゴラス（ピタゴラス、前570頃～前490頃）とされます。

ピュタゴラスと言えば、ピュタゴラスの定理（三平方の定理）や、独自のからくり装置で人気のテレビ番組『ピタゴラスイッチ』（NHK Eテレ、2002～）などを思い浮かべる方も多いと思います。しかしピュタゴラスを現代で言うところの数学者や科学者としてイメージすると、実際は少し違っています。

ピュタゴラスは宗教的な哲学者で、ピュタゴラス教団という宗教団体の開祖でした。魂の輪廻転生や菜食主義などを説いたと伝えられています。

ピュタゴラスの基本思想は「万物は数である」というものです。まず前提として、宇宙は混沌としたものではなく、調和のとれたものだとされます。調和とはあらゆるものが秩序づけられていることです。秩序はプロポーションによって成り立っています。プロポーションは数によって表すことができます。よって宇宙の原理は数によって示すことができる、というのが彼の立場です。

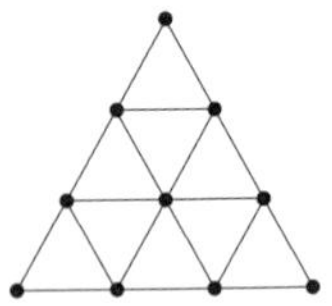

図1　ピュタゴラス学派のテトラクテュス

なかでも1から4の整数が万物の根源になっているとピュタゴラスは考えました。1から4を足した10は完全な数とみなされます。それらの数を組み合わせた「テトラクテュス」と呼ばれる図(図1)は教団のシンボルマークとされ、団員はこれを神聖視しました。

ピュタゴラスにとって、美とは調和や秩序やプロポーションがあることです。つまり美の原理が宇宙の原理でもあり、教団はそれを解明するために数を研究したのです。その主要な研究が、音程に関するものでした。ピュタゴラスは歴史上初めて、音と数の関係を明らかにしたとされています(図2)。

2本の弦があると想像してください。2本の長さが1:2の比率のときは、8度(1オクターヴ)離れた音が出ます。2:3のときは、5度離れた音(ドとソ、レとラなど)が鳴ります。3:4のときは、4度離れた音(ドとファ、レとソなど)になります。古代ギリシャでは8度、5度、4度が協和音とされていました。つまり美しい和音はすべて1から4の整数で順に示される比率にある、とピュタゴラスは発見したのです。

ピュタゴラスはこれを天界にも適用します。地上と天上は同じ原理によって支配されていると信じていたからです。そして、天体の位置関係も1から4の比率にあり、天体の動きによってこのうえなく美しい音楽が奏でられている、と考えました。この音楽はまさに宇宙の調和（ハーモニー）の顕現《けんげん》です。「天球の音楽」と呼ばれるこの思想も、初期近代までヨーロッパで受け継がれていきました。

　このようにピュタゴラス（とその学派）は、音楽を基礎に、数学や宇宙論と一体になった美学を展開しました。なお第1章で触れたように、自由学芸では音楽が天文学と並んで、数に関わる科目を構成していました。そこで学ばれた音楽とは、こうしたピュタゴラスの思想に由来するものです。

図2　音響の関係を調べるピュタゴラスと弟子たち（フランキヌス・ガフリウス『音楽理論』1492より）

　細かいことを言えば、協和音の比率を最初に発見したのがピュタゴラスだったのか、さらには彼が図2のような音についての検証を本当に行ったのかさえ、研究者のあいだでは疑問視する声があがっています。

　ピュタゴラスは謎に包まれた人物です。

彼自身が書き残した文献はありません。他の人が彼について説明した史料も、没後100年以上経ったものしかありません。古代にはすでに神格化された存在となっており、捏造された伝説も多いと言われています。

しかしたとえ作り上げられた部分があったとしても、ピュタゴラスのものとして伝承された美学思想は、2000年以上にもわたってヨーロッパで多大な影響を及ぼし続けました。そのことは重要な事実です。

幾何学者としての神（プラトン）

当時の文献が残っていないにもかかわらず、ピュタゴラスの思想が美学の本流になった要因は、西洋思想の源流であるプラトンによって継承されたからです。

プラトンの肖像画として有名なのは、ラファエロ・サンティの《アテネの学堂》に描かれたものでしょう（図3）。このプラトンが手にしているのは自著の『ティマイオス』です。彼の著作のなかでも、もっとも広く（中世のあいだも）読み継がれたものです。『ティマイオス』は宇宙の創造から人間の誕生までを想像力豊かに描きだした、壮大な物語です。プラトンはティマイオスという登場人物の口を借りて、次のように言います。神

（造物主「デミウルゴス」）は至高の存在であり、神が創ったこの宇宙はもっとも美しい（素晴らしい）ものであるはずである。よって、神は宇宙に理性（頭）で把握できるような秩序を与えたのだ、と。

理性で把握できる秩序とは、数や図形で示されることができるものです。プラトンによる具体的な記述は多岐にわたりますが、一部を紹介すると、宇宙全体は滑らかで完全な球体をしているとされます。また、宇宙の素材は火・土・水・空気の4つであり、それぞれの粒子は正多面体をしていると主張されます。火は正四面体、土は正六面体、空気は正八面体、水は正二十面体です。これら4つの各々も、互いに釣り合いのとれた比率を保つように配分されたと語られます。

図3　ラファエロ・サンティ《アテネの学堂》1509〜10、バチカン宮殿（部分）

このようにプラトンは、神は世界を創造するときに数学（とくに幾何学）を使ったと考えました。彼は「神は永遠に幾何学する」と言ったとも伝えられています。幾何学者としての神という考えはのちにキリスト教と融合し、中世には口絵4のような、コンパスを持った神の図像も生まれました。

†プロポーション理論

神は宇宙を幾何学に従って創造したのであり、この世界は美しく秩序づけられたものである。こうしたピュタゴラスとプラトンによる思想は、古代から初期近代にかけての美学の土台になりました（宇宙に関する個々の見解については、当然ながら異論もありましたが）。そこから、美とはプロポーションによって生まれる調和である、という考えが普及しました。この立場では、美の原理は幾何学的に示すことができると考えられます。プロポーション理論は初期近代まで支配的だったもので、美学で美の「古典理論」と言えばこの思想を指します。美学史研究の大家W・タタルキエヴィチは「ヨーロッパ美学の大理論」とも呼んでいます。

なお、現在では「シンメトリー」と言うと、線対称や点対称の関係にあることを意味するのが一般的です。しかし古代では、シンメトリー（ギリシャ語で「シュムメトリア」）は、やはりもっと広い意味でした。あるものが釣り合いのとれた比率にあることや、その比率のことです。つまりプロポーションとほとんど同じです（中世以降でも、古代のプロポーション理論を受け継いだ美学思想ではこの意味で用いられます）。

訳語としては、シンメトリーもプロポーションも、均整、均斉、均衡、釣合、比例、比率、割合などが様々に当てられます。片仮名のほうが専門用語だと分かりやすいと思うので、本書では基本的に片仮名で表記します。ただし「シンメトリー」については先ほど述べた点にご注意ください。また、次に紹介する人体のプロポーション理論については「人体比例論」という訳語が定着しているので、本書でもこの名称を使います。

シンメトリーやプロポーションは、釣り合いのとれた比率から生まれる美しい状態のことも指しました。つまり「調和（ハーモニー）」や「秩序（オーダー）」とも言い換えられることがあります（他にも同じような用語はありますが、省略します）。

よって、美についての古典的な理論は「美とはプロポーション＝シンメトリー＝ハーモニー＝オーダーである」という立場だとまとめることができます。

†補足――複雑なものと単純なもの（多様の統一、光の美学）

プロポーション理論では、美しいものはいくつかの部分から成り立っていることが前提になっています。プロポーションとは部分と部分の関係にあるからです。この点に関して補足しておきます。

複数の部分を持つもののなかでは、複雑なものほど調和のとれた状態にするのが難しくなります。2個の三角形を組み合わせるより、8個の三角形と13個の四角形を組み合わせるほうが、整った形を作るのは大変です。万華鏡の生みだす光景が人を魅了するのは、複雑さと秩序が見事に両立されていることが理由のひとつでしょう。

こうしたことから、多くの様々な部分を持っていながらも全体としては統一がとれたものこそが美しい、と考える思想があります。これを「多様の統一」と呼びます。

プロポーション理論は多様の統一のひとつとされることもあります。しかしプロポーション理論をとる論者のすべてが、部分は多様であるほうがよいと主張するわけではありません。

多様の統一はプロポーション理論から派生して生まれた、とされることもあります。しかし多様の統一を美の原理とする立場は、必ずしも部分同士の関係を数学的に表すわけではありません。多様の統一はどの時代にも広く見られる思想で、起源を特定することは困難です。

では逆に、単純なものについてはどうでしょうか。

プロポーション理論では、ひとつの音、ひとつの色、光など、私たちの普段の感覚で捉えられるような部分がないものを扱えません。これらを美しいものから除外するのは不当だと思うのではないでしょうか。

プロポーション理論に対するこうした指摘は、古代末期に明確なかたちでなされました。中世に入るとそこから、光を神の美の顕現と捉える「光の美学」という思想が生まれました。これはゴシック様式の教会建築（第2章の5で言及したケルン大聖堂など）の基盤にもなった思想で、中世の美学思想を代表するものです。

とはいえ、光の美学もプラトンの思想を起源にしたものであり、プロポーション理論を退けるものではありません。「美とは調和と輝きである」といったように、プロポーション理論を補完するものとして語られました。

3-2 人体のプロポーションを求めて

†美しい身体の追求

古代ギリシャの人々は身体の鍛錬を重視しました。よく知られているように、近代オリンピックの起源であるオリンピア競技祭は、全ギリシャを挙げて開催されました。各都市には公共の体育館があり、そこで青年は日々練習に励みました。いずれも競技や訓練は基本的に全裸で行われたと言われています。

鍛えあげられた身体をもつアスリートは、彫刻家にとって格好のモデルになりました(図4)。アスリートだけでなく、人間の姿をした神々も、多くのギリシャ彫刻ではほとんど衣服を纏《まと》っていません。彫刻家の意識は身体表現に向けられていることが見てとれます。

前述のとおり、古代ギリシャ語で「カッロス(美)」はとくに人体の美しさのことを指しました。古代ギリシャ人にとって身の回りにある美しいものとは、まずもって人間の身体だったようです。

そのことを示す一端として、ピュタゴラスののち、美しい人体のプロポーションを定めようとする試みが様々になされました。その理論は彫刻や絵画の制作にも利用されました。現在でも美容の分野を中心に、自明のように語られる理論の出どころはここにあります。初期近代までの展開を概観しましょう。

†古代ギリシャ・ローマの人体比例論

古代ギリシャ彫刻が円熟期を迎える頃、彫刻家のなかから人体のプロポーション理論を確立した人物が出ました。彫刻家としても名声を得ていたポリュクレイトス（前5世紀頃）です。

彼は青年男性の身体について、各部分の美しい比率を細かく数値にして、『カノン（規範）』という書物に記しました。指と指、指と掌《てのひら》、掌と手首、手首と前腕の比率、といった

図4　ミュロン《円盤投げ（ディスコボロス）》前460〜前450頃、ローマ国立博物館（ローマン・コピー）

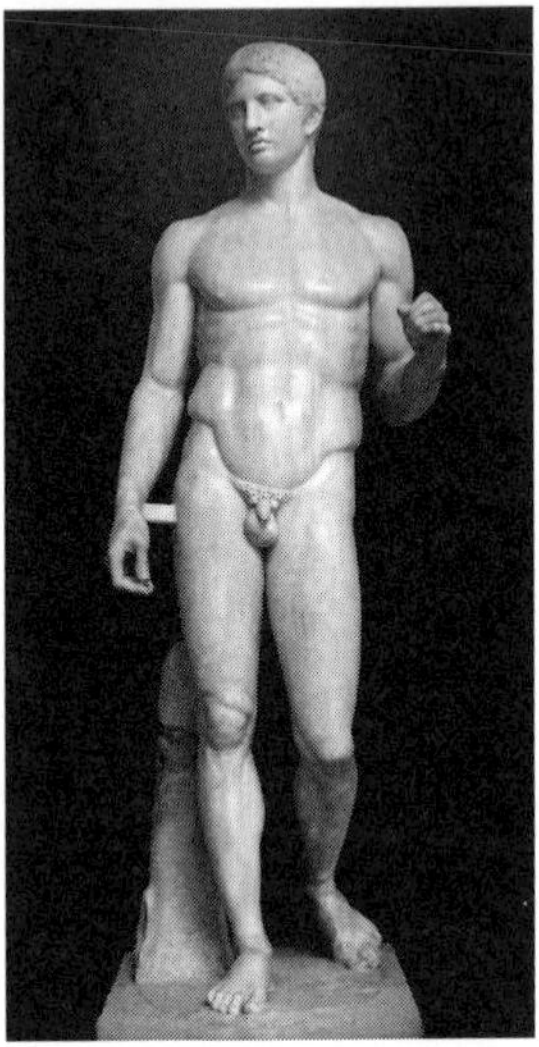

図5　ポリュクレイトス《槍を担ぐ人（ドリュフォロス）》前450〜前440頃、ナポリ国立考古学博物館（ローマン・コピー）

具合です。しかし『カノン』は失われてしまったため、具体的な内容は不明です。

　ポリュクレイトスはその理論を具現化した彫刻も制作しました。他の彫刻家にとっての規範とされたので、それらの作品も「ポリュクレイトスのカノン」と呼ばれます。彼自身の手によるものは現存していませんが、後代に複製されたものを見ることができます（図5）。

　彫像からすると、ポリュクレイトスは7頭身を理想にしていたようです。現在いわゆるモデル体型とされるのは8頭身です。これは次の世紀に活躍したリュシッポスの彫像が規範になって、8頭身が新しい理想の比率として広まったと言われています。

　ポリュクレイトスの他にも、古代ギリシャで人体のプロポーションを数値化する試みはあったかもしれません。しかし現在にまで伝わる文献は、古代ローマまで時代を下らなければ見当たりません。

ローマの建築家ウィトルウィウス（前1世紀）は、『建築論』というハンドブックを執筆しました。古典古代の建築史料としても、唯一現存する貴重なものです。

この著作は、建築の三大要素を「強固さ（耐久性・安全性）、有用性、美」と定めたことでよく知られています。建築学では（理由は分かりませんが、原文から順番を入れ替えて）「用・美・強」と呼ばれます。

このうち美は、建物の外観が好ましく、部分同士がシンメトリーな（釣り合いのとれた）比率にあることで獲得される、と説明されます。つまりシンメトリーが建築に必須のものとされています（ウィトルウィウスはシンメトリーをプロポーションとも言い換えますが、基本的にシンメトリーという語を使っています）。

ウィトルウィウスは神殿に関する章のなかで、シンメトリーを主題にとりあげました。そこで彼は、神殿建築にもっとも重要なものはシンメトリーであり、よい形をした人体のように部分同士の釣り合った関係がなければならない、と述べます。それに続けて、建築書であるにもかかわらず、人体のプロポーションについて細かく記載しています。

この記述を後世の人々は図に起こそうと試みてきました。そうした図は「ウィトルウィ

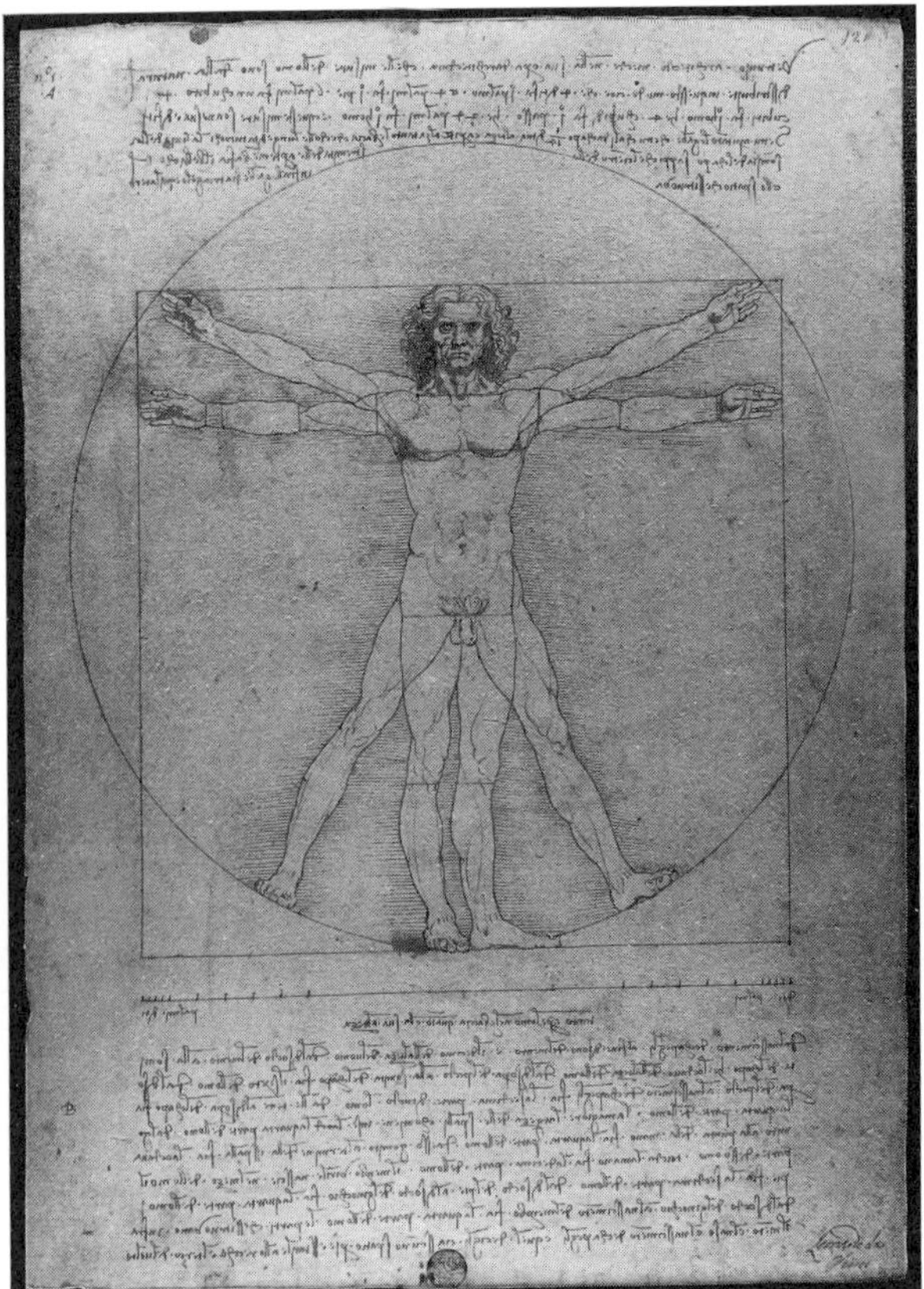

図6　レオナルド・ダ・ヴィンチ《ウィトルウィウス的人体図》1490 頃、アカデミア美術館

ウス的人体図」と呼ばれます。なかでも有名なのが、レオナルド・ダ・ヴィンチの手稿に残されていたドローイングです（図6）。

ウィトルウィウスの記述の一部を紹介しましょう。図6と見比べてみてください。

人が仰向けで大の字になったとき、臍《へそ》の位置に中心をとった正円に、手足の指先が接します。また、腕を真横に伸ばしたときの横幅は身長と同じになり、そこから正方形が見えてきます。

身体の各部分については、身長に対して頭部は8分の1、顔（髪の生え際から顎まで）は10分の1で、頭頂から胸の中央までは4分の1、胸幅も4分の1、足裏は6分の1です。顔のなかでは、髪の生え際から眉間までと、眉間から鼻下、さらに鼻下から顎まではすべて同じ長さで、それぞれが顔の3分の1になります。

ウィトルウィウスは、自分が記したものだけでなく身体の他の部分にも決まった比率があり、かつての画家や彫刻家はその比率を用いたことで不朽の名声を得たのだ、と言います。ここで念頭に置かれている画家や彫刻家とは、同じ章で言及されるポリュクレイトスやリュシッポス、図4の原作者のミュロンなどだと思われます。

ポリュクレイトスやウィトルウィウスは、人体の美しさの根拠は数値化できるのであって、美しい人体を芸術で表現するための技術もそれによって教えることができる、という立場にたっています。美が客観的なものと捉えられていることが分かります。

✝ルネサンスの人体比例論

ウィトルウィウスの『建築論』は中世でも知られていましたが、ルネサンス時代に入ると（新たに写本が発見されたこともあって）大きな注目を集めました。その人体比例論は建築家だけでなく画家や彫刻家にも学ばれ、ルネサンスの芸術家たちはウィトルウィウスの理論をさらに発展させようと熱中しました。

ウィトルウィウス的人体図を作成したレオナルドもそのひとりです。彼は人間だけでなく馬のプロポーションも研究していたことが手稿から分かります。たとえば図7では、馬の頭部を16等分した寸法を尺度に、各部分のプロポーションが算出されていると考えられています。長年行っていた解剖学研究の一環でもあり、かなり精緻な分析がなされています。

レオナルドの名言として知られているものに、「私の芸術を真に理解できるのは数学者だけである」というフレーズがあります。これも手稿に残された言葉で、原文では「数学

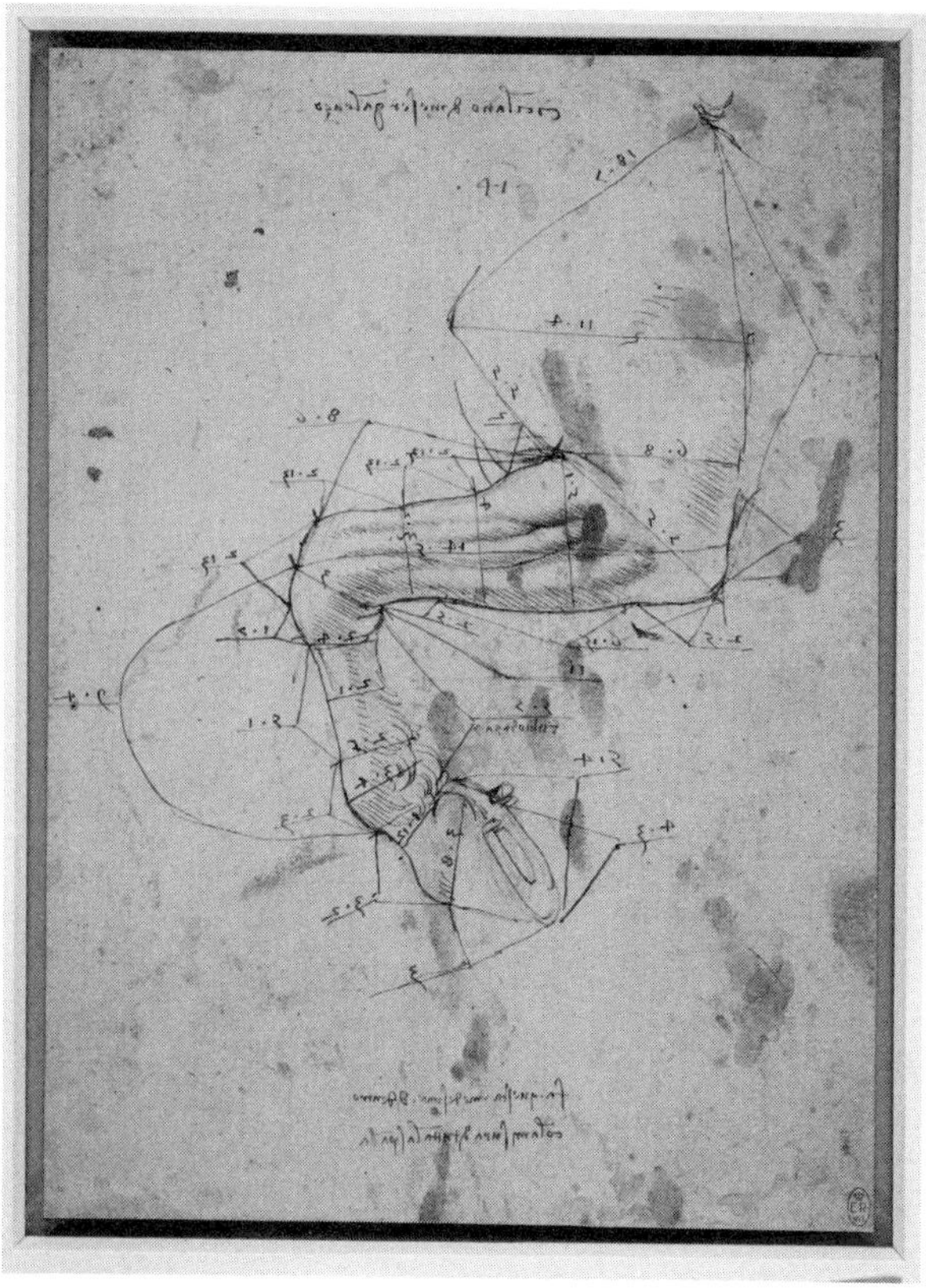

図7　レオナルド・ダ・ヴィンチ《馬の左前脚、測定付き》1490～92頃、イギリス王室コレクション

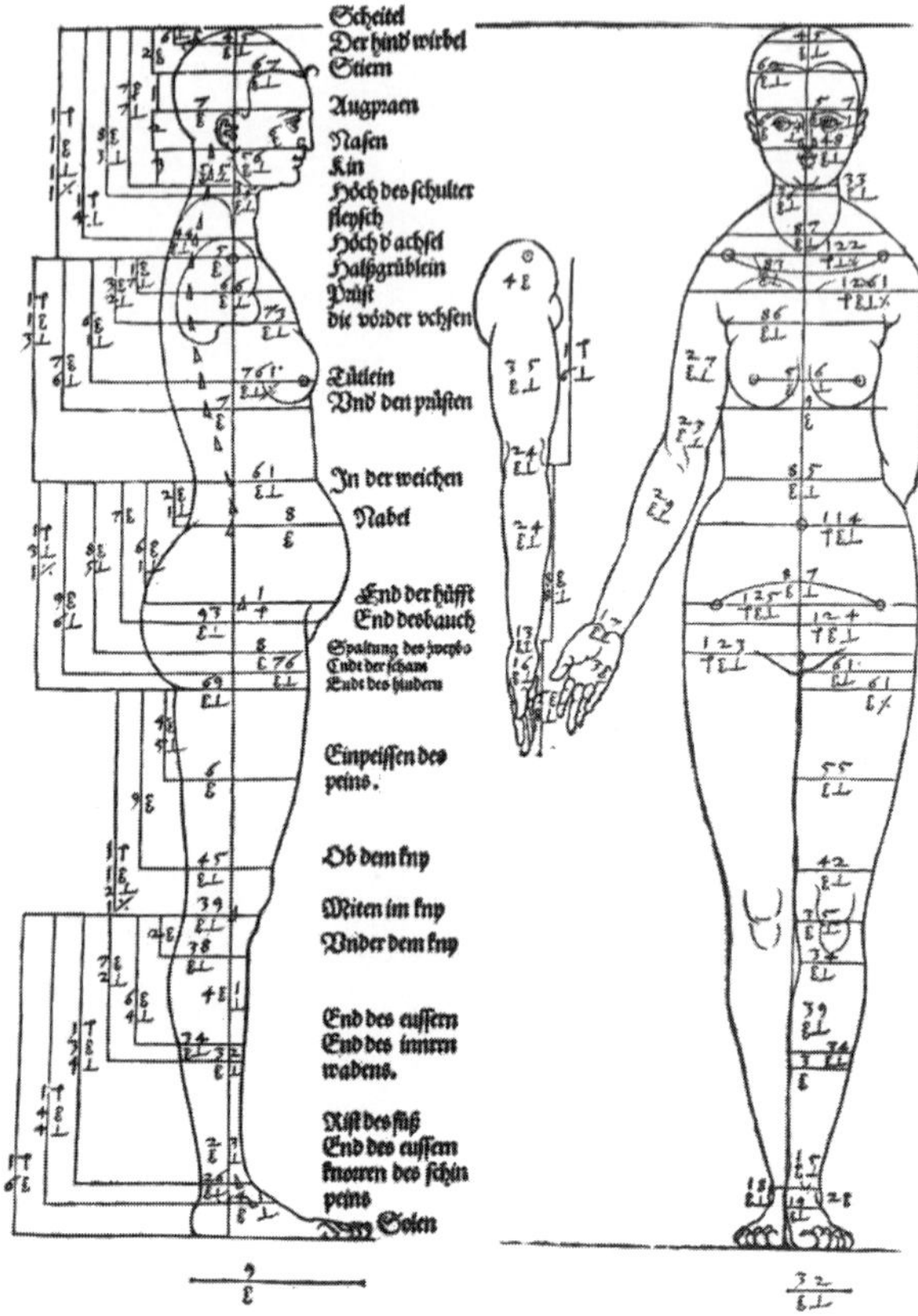

図８　成人女性のプロポーション（アルブレヒト・デューラー『人体比例論四書』1528 より）

者でない人は誰も私の作品の要素・原理を読みとらない」となっています。彼の卓越した作品は実は数学的に構築されているということです。その要素のひとつがこうしたプロポーション理論でした。私たちがその原理を垣間見ることができるのは、没後に手稿が編纂されたおかげです。

レオナルドは私的な手稿に書きとめましたが、20歳ほど年下の画家アルブレヒト・デューラー（第2章の3－1も参照）は、自身の考察結果を書籍にまとめて公表しました。それが『人体比例論四書』（1528）です。彼が生涯かけて探究した人体のプロポーションが、豊富な木版画とともに記されています。印刷されたのは没後半年のときでした。

この著作は、ヨーロッパの人体比例論の集大成と言われています。デューラーは成人男女の全身のプロポーション（図8）だけでなく、頭部、手、足などのプロポーションを個別に詳述しました。それを基準にさらに幼児、太った人や痩せた人、特徴のある顔、動きのある姿勢でのプロポーションなども算出しています。

レオナルドやデューラーの分析はあまりに細かくて、圧倒されてしまうのではないでしょうか。絵画や彫刻を制作するときに便利な理論というよりは、彼らの探究心の表れと見るほうが適切かもしれません。これらは人体計測学の源流ともされています。

とはいえプロポーション理論の基本的な規則は、16世紀末には美術アカデミーでデッサンの技法として教えられるようになりました。独創性が重視されたロマン主義の時代にも、その伝統は途絶えませんでした。

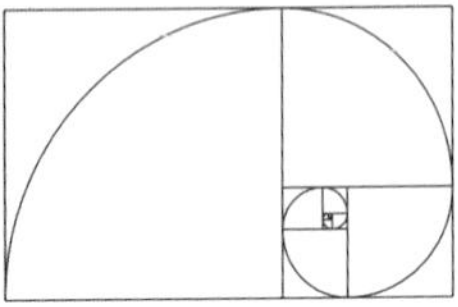

図9　黄金螺旋

†補足——黄金比

美しい比率と聞くと、多くの方が「黄金比（黄金分割）」を思い浮かべるでしょうから、ここで少し言及しておきます。

これは数学で「外中比」と呼ばれる比率です。線分を一点で分割するときに、長い部分と短い部分との比が全体と長い部分との比に等しくなるようにしたときの比率です。数値としては1：約1・618になります。

外中比は古代のエジプトやギリシャでも知られていました。しかしこの比率がことさら特別視されるようになったのは近代以降です。

発端となったのは、ルネサンスの数学者ルカ・パチョーリ（1445〜1517）の『神聖比例論』（1509）です。パチョーリは、この比率は人間がもっとも美しいと感じる神聖な比率で、様々な美しい建築や人体やアルファベットなどに見いだされる、と主張しました。

さらにこの比率が「黄金比」と呼ばれるようになったのは19世紀以降です。なお、長方形を黄金比で分割していくことで描出される螺旋は「黄金螺旋」と呼ばれます。(図9)。

黄金比や黄金螺旋は、美しい芸術作品(パルテノン神殿、ピラミッド、ミロのヴィーナス、レオナルドの絵画)や自然物(オウムガイの殻など)に見つけることができる、という説が一般にはかなり流布しています。パチョーリの思想が今にも生きている証拠でしょう。ただし、こうした説の測定方法が恣意的でないという保証はありません。

もちろん、とくに近代以降は、黄金比を意識的に利用して制作した芸術家はいます(建築家のル・コルビュジエなど)。それでも1:約1・618が他の比率よりも美しいとする根拠はありません。19世紀にはドイツの研究者が、多くの人がこの比率を好むことを実験で統計的に証明した、と主張しました。しかしその手法や実験結果の解釈には否定的な見解が少なくありません。

美学・芸術学の研究者は、黄金比に対して慎重に距離をとっている人のほうが多いのではないかと思います。

この点を踏まえたうえで、「この作品が美しいのは黄金比を使っているからだ」といった説明が広く受け入れられていること自体は注目に値します。客観主義的な美の理論が、現在でも生き長らえている証拠だからです。

4　美の主観主義（18世紀以降）

4-1　伝統からの離反

†古典理論への疑義

プロポーション理論に代表されるような、美を客観的なものと捉える見解に対しては、古代から反対意見はありました。しかし決定打となるような反論がなされたのは、18世紀のことでした。

どうして18世紀だったのでしょうか。

根本的な変化は、前の世紀に始まっています。17世紀はいわゆる科学革命の世紀です。天文学が著しく発達し、次のような事実が観測によって確証されました。太陽が地球の周りを回っているのではなく、その逆であること。宇宙空間は無限であること。惑星の軌道は正円ではなく楕円であること、などです。

これはつまり、地球を中心にした球体としてイメージされていた宇宙観が無効になったということです。もはや「幾何学者としての神」という考え方は成り立ちません。科学革命によって、前提となる世界観が崩れ去ったのです。

さらに17〜18世紀は、経験論と呼ばれる哲学がイギリスで興《おこ》りました。イギリス経験論とは、理性ではなく経験を知の源泉とみなす思想です。

この立場からすると、美の古典理論は受け入れがたいものです。経験論の考え方に立つ人々は、美とは数や図形のような頭で理解するものではなく、美しいと感じるその感覚や感情こそが重要だと考えました。イギリスの思想

科学革命が起きて「幾何学者としての神」が消えた

がヨーロッパ大陸へ波及していくにともなって、美についての主観主義的な見解も広まっていきました。

以下4-1では、美の主観主義を表明した人物で、大陸へも大きな影響を与えたふたりのイギリス人を紹介します。

†プロポーション理論の否定（バーク）

ひとりめは、政治家として有名なエドマンド・バーク（1729〜97）です。

彼は『崇高と美という我々の観念の起源に関する哲学的考察』（1757、以下本書では『崇高と美の起源』と略記）という書籍のなかで、プロポーション理論は無効だと主張しました（この著作の主要な内容については、次章で紹介します）。

彼の見解をまとめると次のようになります。

美はプロポーションにあると言われているが、本当にそうだろうか。プロポーションは対象を数学的に分析することで発見され、定められる。だが美を感じるために、長い時間その対象を注意して考察する必要はない。火に熱さを感じるのと同じように、美はあれこれ考えなくても瞬時に感じられる。新種の動物が発見されたとして、その動物のプロポーションが理論にされるのを待たなくとも、それが美しいかどうか私たちは判断できる。したがって美は計算や幾何学と関係がなく、プロポーション理論は美の根拠ではない。

バークはさらに様々な反例を挙げて、プロポーション理論の穴を指摘していきます。その一部を紹介しましょう。

薔薇の花の形には、たしかに規則的な要素もある。しかし斜めから眺めると規則性は崩れて見えるにもかかわらず、それでも薔薇は美しい。

白鳥は首が長く、尾が短い。孔雀は逆である。だが白鳥も孔雀も美しい鳥である。

美しい色をした花や鳥は、単色であったり、様々な色が混ざっていたりする。よって動植物の色彩にもプロポーションは見いだせない。

プロポーションを備えた人が美しいとは限らない。同じようなプロポーションを持った人でも、ある人は美しくある人は醜いという場合がある。画家はプロポーションの数値を遵守した醜い人物も、数値から大きく逸脱した美しい人物も描くことができる。古代彫刻の名作もそれぞれ異なったプロポーションをしている。人間が手を真横に伸ばした図（ウィトルウィウス的人体図）のような、無理な姿勢で人が見られることは滅多にない。

こうしたバークの反論には、納得させられる部分が少なくないのではないでしょうか。

当時の人々にとっては、２０００年以上も主流であったプロポーション理論を真っ向から否定する主張です。かなりインパクトがあったことでしょう（バークはとくに自然物に対する人々の美意識に影響を与えました。この点については第4〜5章でとりあげます）。

†主観主義と客観主義の狭間で（ヒューム）

ふたりめは、歴史学者や文筆家としても活躍した哲学者デイヴィッド・ヒューム（１７１１〜７６、図10）です。

ヒュームが美学的なテーマを扱った文書はあまり多くありません。代表作は、バークの著作と同年に発表された「趣味の基準について」（１７５７）という短いエッセイです。しかしこれが美学史を画するものになりました。

このエッセイにある次のくだりは、美学が客観主義から主観主義へ転換する決定的なきっかけになったとされています。

> 美はものそのもののなかにある性質ではない。ただものを見つめる心のなかにのみ存在する。

冒頭で紹介した日比野さんの言葉と似ていませんか。ただし、ヒュームが美の主観主義を打ち立てた、と言うと語弊があります。「趣味の基準について」の趣旨は、主観主義美学を唱道することではなかったからです。

私たちの普段の経験を顧みれば、美の感じ方には人それぞれ違いがあることは明らかです。他方で、多くの人が時代や地域を超えて美しいと感じるものがあるとも私たちは考えています。美は主観的でも客観的でもあるように思われます。

この矛盾する状況をどう説明することができるのか。何が美しく何が美しくないのか決定するための、基準となる規則（趣味の基準）はどのようにして見つけることができるのか。これがヒュームの問題意識でした。

図10 デイヴィッド・ヒューム

先に引用したフレーズが有名で独り歩きしがちですが、正確に言えば、これはヒュームの自説ではありません。美の規則などありえないと考える人々の見解を、彼が（説得力のある仕方で）要約した箇所にある文章です。

その箇所の記述はヒュームの基本的な思想と一致するので、彼自身の意見とみなされています。しかしそのあとの箇所で、ヒュームは客観主義の擁護に回っています。美とは美しいと感じるその感情であって、もののなかにある性質ではないことは確かではあるものの、それでもやはりものには美しいと感じさせることに適した一定の性質がある、というのが彼の見解です。

そして美の規則はありうるという立場から、その原理がどのようにして定められるのかを論じたのが、このエッセイでした。

ヒュームは結論としては、優れた批評家の総意が基準を作ると主張しました（ヒュームは美しいものの代表として、芸術作品を念頭に置いています）。しかし、この理論には欠点があると指摘されています。ある人が優れた批評家かどうか、誰がどうやって見分けるのかを考えると、すっきりとうまくいく理論ではないからです。

美学史におけるヒュームの功績は、美の主観主義の立場を要約して示したことにもあります。しかし何よりも、美の主観主義と客観主義はどのようにして調停されることができるのか、という問題提起をしたことに意義があります。

美の主観主義と客観主義の調停という課題は、ドイツの哲学者イマヌエル・カントへと受け継がれていきます。節を改めて見ていきましょう。

4-2　客観主義との調停

†道徳や味覚との類似（道徳感覚学派）

カントを理解するポイントになるので、ヒュームがまとめた主観主義美学の見解を先に見ておきましょう。ヒュームの要約をさらに簡単にまとめると、次のようになります。

美とはものがもつ性質ではなく、見る人が美しいと感じるその感情のことである。人がものごとに対してどのように感じようが、感情はすべて正しい。ある人が美しいと感じるものに対して別の人は醜いと感じたとしても、どちらかが間違っているということはない。よって、美の基準などありえない。それぞれの人は他人の感じ方に口出しせず、自分がどう感じるかに従うべきである。

これは具体的には、イギリスの道徳感覚学派の立場です。道徳感覚学派とは、経験論に影響を受けて、道徳は理性ではなく感覚や感情に基づいているとみなす人々を指します。

ヒュームもここに含まれます。

ただし、ヒュームはここで極端なまとめ方をしています。実際には道徳感覚学派では、人々のあいだに共通する感じ方があるとみなされます。とはいえたしかに道徳感覚学派の立場を突き詰めるなら、美の感じ方は完全に人それぞれで基準などない、というラディカルな主張に至る可能性はあります。

道徳感覚学派の人々は、人間には善悪を直感的に見分ける能力があると考えました。たとえば目の前で困っている人がいて、別の誰かがとっさにその人を助けたとしたら、私たちはその行為を「立派だ」と感じます。それは頭で考えた末に判断することではなく、感覚的に分かることだ、という立場です。

道徳的に正しいことを「美徳」や「美しい行い」などと言ったりするように、道徳的によいことは美と結びつけられます。そのため善悪を見分ける能力は、美醜を見分ける能力であるとも考えられました。

道徳感覚学派では、この道徳的または美的なよしあしを直感的に見分ける能力のことを「趣味」と呼びます。英語で「テイスト」です。趣味やテイストという言葉は多義的なので、この用語には少し戸惑うかもしれません。重要な概念なので補足しておきます。

日本語では趣味と言うと第一に、余暇の楽しみとして愛好するものを指します。これは英語の「ホビー」に相当する語で、別物です。

辞書でtasteを引くと、味、味覚、嗜好、審美眼、というおもに4つの意味が記載されています。テイストという英語は本来、味や、味を識別する能力のことを意味します。バニラ・テイストとはバニラ風味のことで、テイスティングとはワインの味を見て品評することです。

それが17世紀になると、それぞれの人の好みや、その嗜好に合うものを識別する能力のことも指すようになりました。道徳感覚学派で言われる趣味もこの意味です。「いい趣味をしている」といった言い方をするときがそうです。この意味でのテイストは「センス」と言い換えることもできます。

嗜好や審美眼を指すときのテイストが道徳にも関わることは、「趣味が悪い」という用例を想定するとよいでしょう。この場合、嗜好が美的に洗練されていないことだけでなく、人倫に反するものを好むことも意味します。

趣味 taste
人の好みや嗜好に合うものを
識別する能力のこと＝センス

さて、道徳感覚学派ではこの「趣味」を基本概念とすることから、美は道徳や味と似ていると考えられることになります。

美醜を見分けることと善悪を見分けることは、どちらも趣味によって行われるとされるため、区別はほとんど意識されません。道徳的によいものは美しく、悪いものは醜い、ということが前提にされます。ヒュームも批評について論じた箇所で、反道徳的な人や行為を描いた物語は（それらを好ましくないものと表現していないかぎり）美しくない、と述べています。

味については、味覚と趣味がどちらも同じテイストという語であることから、味について言えることは美についても言える、と考えられます。つまり、味の感じ方は人それぞれであるように美の感じ方も人それぞれだ、ということです。

ヒュームは主観主義美学の見解をまとめる際、「蓼《たで》食う虫も好き好き」という諺を引きます。英語（もとはラテン語）では、直訳すると「テイストについては論争されえない」という文になります。味覚（テイスト）は人それぞれだから、あるものについて美味しいのか美味しくないのか言い争っても無駄だ、という意味です。この諺は味覚だけでなく趣味にも当てはまるし、当てはめるべきだ、とヒュームは主観主義美学の立場を代弁して言います。

しかし本当にそうなのでしょうか。

普段の生活のなかで、あるものについて美しいかどうか、論争とまでは言わなくても会話したくなるときがあると思います。

誰かと一緒に美術館や映画館に行ったあと、感想を話していて意見が食い違ったとき、相手が自分の感じ方に最終的には共感してくれることを期待しませんか。また、夕陽に染まる空に思わず見惚れたときなどに、その場にいる他の人々も同じように感じることを前提に「きれいですね」と言い合うことがありませんか。そうしたときには「きっと昔の人も同じように空を見上げたはずだ」とさえ思うかもしれません。

こうした言動はすべて虚しいことなのでしょうか。美は徹底して孤独なものなのでしょうか。カントを読めば、これに対してひとつの答え方を知ることができます（ただしもちろん、カントの回答が唯一の正解というわけではありません）。

†美の主観性と普遍性（カント）

カント（図11）はイギリスの思想家と同じく、美については基本的に主観主義の立場を

図11　イマヌエル・カント

とります。私たちが何かを「美しい」と言うことができるのは、そのものが美を持っているからではありません。目の前のものに私が美しいと感じている事実があるからです。心地よい感情が生じている、そのときの心の状態こそが美の根拠です。

　このように考えるカントは、晩年に執筆した『判断力批判』のなかで、人が美を感じるとはどういうことなのか探究しました。美学史では、これによって近代美学が確立され、同時に主観主義美学への転換が決定的になったとみなされます。

　カントの考察は多岐にわたり、そのどれも示唆に富みます（本書の第2章と第4章でも『判断力批判』に触れています）。ただ彼が本論で最初に行ったことは、美は道徳や味覚とは違った独特のあり方をしている、と指摘することでした。イギリスの思想との違いをはっきりさせようとしたのです。

　カントの用語や論証を解説すると煩雑になってしまうので、本章に関わるポイントに絞って紹介します。カントの用語は極力使わず、私なりに嚙み砕いてまとめます。

まず、芸術作品でも自然物でも構わないので、何かに対して自分が心から美しいと感じたときのことを思い出してください。どうしてそれを美しいと思うのか、尋ねられたとします。その質問にあなたは的確に回答できますか。

理由らしきものを言うことはできるでしょう。ある花や建築にうっとりとしたことを「私は薔薇が好きで」とか「この教会は信仰心を喚起させる」などと説明するかもしれません。しかしそうはいっても、まさにそのものに心奪われたのは、それが薔薇だからでしょうか。教会にふさわしく信仰心を掻き立てる効果があるからでしょうか。他にも、色彩が見事だとか、設計技術が卓越しているとか、魅力的な点をいくつも挙げることはできるでしょう。しかしそれだけではない、と思うはずです。

いくら言葉を尽くしても理由を言い当てることができないのが、美しいという感情です。何かを純粋に美しいと感じることは、それが何であるか(概念)や何のためにあるのか(目的)に基づいていない、とカントは言います。

では、道徳はどうでしょうか。たしかに道徳的によい行為を見聞きした

「美しい」という感情は
どれだけ言葉を尽くしても
理由を言い当てられない

ときも、立派だ、素晴らしい、尊敬に値する、といった心地よい感情が生じます。しかしそのように感じる理由は「その行為は人助けで、他者の人格や生命を尊重することにつながるから」など、はっきりと言うことができます。

ある行為が道徳的によいものかどうかは、それが何であるか、何のために役立つかという点から見分けられます。カントにとって、道徳は感情ではなく理性によって、概念や目的に基づいて判断されるものです（そのため「趣味」の概念も、カントにおいては善悪ではなくもっぱら美醜を見分ける能力とされます）。

道徳が理性によって判断されるのは、ある行為が道徳的によいものか、それぞれの人の感じ方によって変動するものではないからです。道徳は個々人の感じ方を超えたところにある、客観的なものです。ある人が人助けをしたことを立派だと思うのは、誰かひとりではなくあらゆる人に当てはまる、つまり普遍的なものです。

感覚に関してはそういきません。ただしここで問題になるのは、感覚から生じる心地よい感情です。感覚そのものについては、たとえばあるワインの味が甘いか辛いか、ある服の色が紫か緑か、おおかたの意見は一致するでしょう。しかし、そのワインの味を美味しいと思うか、不味《まず》いと思うか。その紫色を落ち着いていて素敵だと思うか、生気がなくて好ましくないと思うか。それはまったく人によります。蓼食う虫も好き好きで、自分と感じ方が異なる人と議論しようとしても無駄なことです。

「このワインは美味しい」と感じることは、完全に私だけのもの、主観的なものです。あらゆる人に当てはまることではなく、普遍的ではありません。正確を期するなら「このワインは私にとって美味しい」と言わねばなりません。

ところが、美の場合は事情がまったく異なる、とカントは言います。彼によれば、私たちは何かに美を感じるとき、他のすべての人もそれを美しいと感じることを期待するものです。「この音楽は美しい」と感じるとき、「この音楽はきっと誰にとっても美しいはずだ」と思っている、ということです。だからわざわざ「この音楽は私にとって美しい」と言う必要はありません。ただし、自分の趣味が風変わりだと思っていない人であれば、という留保は付きますが。

もちろん実際には、同じものに対して美しいと感じる人もいれば、美しくないと感じる人もいます。しかしそれでも私たちはつい、他の人も美しいと感じるはずだと想定する、他の人も同意してくれると期待する、というのがカントの主張です。美はものの側にない以上、普遍的ではありえません。そうはいっても美は完全に人それぞれというわけではなく、味覚との違いが鍵になる、とカントは考えたのです。美については他者とつながる余地が残されています。

ちなみにこの事態をカントの用語で言えば、「純粋な趣味判断（美的判断）は主観的普遍妥当性を要求する」となります。平たく言えば、「心から（純粋な）何かを美しいと思うこと（趣味判断または美的判断）は、概念に基づいておらず客観的ではないにもかかわらず（主観的）、いつでもどこでも誰にでも（普遍）当てはまる（妥当）こと（性）を要求する」と言い換えることができます。普遍性を実際にもつわけではないけれど、普遍性を要求する、というのが美の特徴です。

以上をまとめると、次のようになります。

道徳も感覚も美も、心地よい感情を引き起こします。しかし道徳について（「この行為は立派だ」と感じること）は客観的で、普遍的です。感覚について（「このワインは美味しい」と感じること）は、主観的で、普遍的ではありません。美について（「この薔薇は美しい」と感じること）は、主観的であるにもかかわらず、普遍的であるかのように私たちは期待します。

どうして美は普遍妥当性を要求することができるのか、疑問に思う方もいらっしゃるでしょう。カントの説明では、美を感じるときの心地よい感情はあらゆる人に共通すると想定できるから、ということが論拠になります。詳しく知りたい方は、本書巻末の読書案内で紹介している書籍をご参照いただければと思います。

さて、カントもヒュームも（次章でもう少し紹介するバークも）美を完全に主観的なものと考えていたわけではなく、美の客観的な特徴と主観的な特徴のあいだに折り合いをつけることが彼らの課題でした。

ところが彼らののち、美は基本的に主観的なものであることが美学の前提になっていきます。そのため、美を感じるという私たちの心のあり方（とくに感性や想像力）へと美学の関心が向かっていきました。そのことは、第2章で紹介したロマン主義の潮流と軌《き》を一にしています。

私たちが「美は心のなかにある」と素朴に考えることができるのも、こうした近代美学の延長線上にあるのです。

5　美の概念とどのように付き合うのがよいか？

客観主義美学から主観主義美学への転換は、美と芸術の「自律」と呼ばれる事態をもたらすことになりました。自律とは、外部から定められたルールに支配されておらず、自由であるということです。具体的にはどのようなことか紹介したうえで、現代の私たちは美とどのように付き合うのがよいのか、最後に少し考えてみたいと思います。

†美の自律性と唯美主義

カントの主観主義美学の功績はなによりも、美を道徳から切り離したことにあります。これによって、道徳的によいものが美しくそうでないものは醜い、という美が善に従属する関係が否定されました。

「真善美」という言葉を聞いたことがある方も多いのではないでしょうか。哲学が探究してきた三大価値を表すものです。

真と善と美が対等に並べられるようになり、このフレーズが人口に膾炙《かいしゃ》したのは、19世紀のことと言われています。それぞれはカントの3つの主著（『純粋理性批判』1781、『実践理性批判』1788、『判断力批判』）に対応しているとされます。つまりカントが『判断力批判』で善と美を峻別しつつ、自身の哲学体系を完成させたことによって、美が真や善と並ぶ地位を占めることが認められるようになっていったのです。

カントは道徳だけでなく、美の条件とされることが多かった機能性や有用性からも美を解放し、美の自律性を強調しました。

カントによれば、美は概念や目的に基づかないのでした。よって「何々であれば美しい」「何々として欠けるところがなければ美しい」「何々に役立つものであれば美しい」といったことは成り立ちません。

たとえば時計は、部品に不備がなく正確に時刻を示すものであれば、あるいは時刻を知るのに役立つものであれば美しい、ということにはなりません。実際、壊れた時計に美を感じることもありえます。同じように、廃墟となった教会はもはや教会として使用することはできませんが、カントの立場にた

美を道徳や有用性
から解放（カント）

てば、廃墟の美を論じる可能性が開かれます。

美が自律的であるなら、何にでも美を見いだしてよいことになります。廃墟のようにそのものとしては不完全なもの、道徳や宗教や社会に反するようなもの、倒錯的なもの、醜いと言えるようなものでも、その人が美しいと感じさえすれば美しいものになります（カント自身は、他人の意見に流されず自分の感じ方に従うという意味で、趣味に対して「自律」という言葉を使っています）。

こうした美の自律性は、19世紀をとおしてますます強調されていきます。そして世紀の後半になると、フランスとイギリスの文芸を中心に「唯美主義（耽美主義）」と呼ばれる潮流が生じました。

唯美主義とは、美は真や善よりも上位にあり、美の追究こそが人生と芸術における唯一の目的である、と考える立場です。シャルル・ボードレール（1821〜67）やオスカー・ワイルド（1854〜1900）が代表です。ボードレールの詩集『悪の華』（1857）やワイルドの小説『ドリアン・グレイの肖像』（1891）は、いずれも発表当時、反道徳的な内容が物議を醸《かも》しました。このふたりは実生活でも放埒《ほうらつ》で耽美的な日々を送ったことで知られています。

近代の唯美主義は、美の自律性が極端にまで押し進められることで、頽廃《たいはい》的な態度に結びついた例と言えます。

†芸術の自律性と「芸術のための芸術」

美の自律性は、芸術の自律性に直結します。近代では、そして近代においてだけは、芸術とは美しいものであり、美しいものの代表は芸術だったからです。

芸術の自律性とは、芸術が道徳や宗教や政治などに縛られないことを言います。現在の私たちからすると、芸術に当然の権利のように思われるかもしれません。しかしそのようなことはありません。

第1〜2章の内容も思い出しながら整理しましょう。

芸術はかつて特権階級が占有していました。彫刻や音楽などは神殿や宮殿を飾り、神や君主の威光を示すために制作されました。また、文芸の役割は「楽しませつつ教えること」、つまり読み手を教化することだと古代から繰り返し語られてきました。芸術は芸術以外のものを目的にし、その目的を果たしているかどうかによって評価されてきたのです。

芸術（美しい諸技術）という概念が18世紀に「美」と「技術」が結びつけられることで

誕生したとき、シャルル・バトゥーは芸術とは有用性を目的にしないものだと主張しました。さらにカントが美の概念そのものから道徳などを切り離します。これによって、芸術を自律したものとする見方が確立されたことになります。

道徳や宗教や政治などに縛られないということは、芸術は何を表現してもよいということになります。それゆえ芸術の自律性は、芸術家が自由に自己表現することを促します。第2章で紹介した天才美学や表現理論の登場には、パトロネージやギルドからの独立と芸術の公共化といった社会的な背景だけでなく、美と芸術の自律という思想的な背景もあったのです。

第1章で見たように、「芸術」は18世紀の中頃から末にかけて、「美しい諸技術」から「アート」の一言で言い表されるようになります（ちなみにカントはまだ「美しい諸技術」という表現を使っています）。その間には、天才としての芸術家の出現、模倣理論から表現理論への変遷、主観主義美学の確立、美と芸術の自律といった変化が起こっています。「美しい諸技術」から「アート」へ変化した背景には、こうした出来事が絡み合いながら発展していったことが考えられます。

さて、やはり美の自律性と同じく、芸術の自律性は19世紀になるといっそう声高に唱えられます。

19世紀のフランスでは「芸術のための芸術」というスローガンが生まれました。芸術は芸術だけを目的にするべきで、道徳や宗教や政治などに役立つ手段になるべきではない、という見解を表明した言葉です。哲学者ヴィクトル・クーザン（1792〜1867）に由来し、詩人で批評家のテオフィル・ゴーティエ（1811〜72）が喧伝しました。イギリスやアメリカにも広まり、このスローガンを支持する人々の立場は「芸術至上主義」とも呼ばれます。

芸術が芸術を目的にするということは、近代ではつまり芸術は美だけを目的にすることを意味します。そのため芸術至上主義は唯美主義とも重なります。

こうして、美と芸術を自律したものであるべきとする思想は、19世紀にその頂点を迎えました。

†美は絶対的で自律的な価値か

ここまで美の概念の歴史を見てきましたが、私が強調したいことは、第1章や第2章でお話ししたことと基本的に同じです。

美の主観主義が優勢になったのも、そこから美や芸術の自律性が主張されるようになったのも、たかだか250年前のことです。そうした価値観が近代の産物であるということに自覚的であったほうがよい、ということです。

先に断っておきたいのですが、私は主観主義的な美の捉え方には共感を覚えます。唯美主義や芸術至上主義も、芸術の可能性を広げ、豊かな作品を生みだしました。これらを否定したり、中世以前に戻るべきだと主張したりするつもりはありません。

またヒュームが道徳感覚学派を代弁して言っていたように、感情に不正解はないとも思います。たとえ公序良俗に反するものであっても、その人がそれを美しいと感じることはどうにも動かしようがありません。

しかしながら、主観主義美学に基づいた美（や芸術）の自律性がときに常識か普遍的真理かのように語られることがあります。そうした事態に対しては、近代美学史に携わる身としては危うさを感じるのです。

ここで網羅的に論じる紙幅はありませんが、2点だけ指摘しておきたいと思います。

まず、美の政治性についてです。

戦争の美化が分かりやすい事例でしょう。戦時中、国のために命を捧げることは美しいことだと刷り込まれます。軍服は格好よくデザインされます。軍事パレードは壮麗に演出されます。こうしたものは、美しいからという理由だけで肯定されてよいのでしょうか。美や芸術に罪はないのでしょうか。

顕著な例を出しましょう。

ドイツの映画監督レニ・リーフェンシュタールは、ナチスのプロパガンダ映画を担当したことで、戦後は激しく糾弾されました。他方で、彼女の代表作『オリンピア』(第1部『民族の祭典』、第2部『美の祭典』1938)は、その映像美が高く評価されています(図12)。この映画は、ヒトラー主導のもと国家事業として開催されたベルリン・オリンピックを撮影したものです。作品の美しさと、ナチスへ協力した責任をどう捉えるべきか、こんにちに至っても議論が続いています。

図12　レニ・リーフェンシュタール『オリンピア』(1938)より　©alamy
プロローグに登場するこの円盤投げ選手の映像は、図4の彫刻へのオマージュになっている。

私はここでリーフェンシュター

ルの作品について評価を下したいわけではありません。ただ彼女自身の発言からすると、リーフェンシュタールは美しいものを作ることだけを追究し、政治どころか、自分の作品がもつ政治的な機能にさえ無関心でした。そしてそのことに何の罪もないと考えていたようです。

美や芸術に携わる人は、どのような場面であっても政治や道徳に無関心でいてよいのでしょうか。美を理由にすれば何でも正当化されるのでしょうか。意見が分かれるところかと思いますが、私はそうした態度は是認しがたいと感じます。

もちろん創作する側だけの問題ではありません。ある政治家や政党をただポスターや服装が格好いいからといった理由だけで支持することは、現代でも見受けられることでしょう。

美に耽溺し、美だけを追い求めることは、ときに取り返しのつかない破滅を招くことになります。19世紀的な価値観を前提にして美を素朴に称揚することで、他者の生命や尊厳を脅かすようなことはあってはなりません。そのことを私たちはリーフェンシュタールの例から学ぶべきではないでしょうか。

もうひとつ指摘しておきたいのは、私たちが何を美しいと感じるかは、後天的に方向づけられる部分があるという点です。純粋に自分の心で感じているつもりでも、その感じ方は文化や制度によってかたちづくられている可能性があります（本書の「はじめに」でも言及したように、これは自然の風景についても言えることです。この点については第4～5章で扱います）。

人の容姿を例に出せば明白でしょう。痩せた体型かふくよかな体型か、二重のぱっちりとした眼か一重の切れ長の眼か、大きな口か小さな口か、時代や地域によって好まれるタイプは変動します。

現代一般的に美しいとされる容姿は白人を理想にしたもので、メディアの発信などをつうじて社会的に形成されたものです。近年はルッキズムへの反省から、メディアにも多様な体型や顔立ちのモデルが起用されるようになりました。それでも少なくない人が、肌の〝美白〟を目指したり、瞼《まぶた》を二重に整形したりしています。

もちろん、自分が美しいと思う姿に近づこうとすることは非難されることではありません。しかしその美の感じ方は、社会的に形成された規範が無意識のうちに内面化してしまっているものではないか、それが自身や他人を苦しめるものになっていないか、振り返ってみてもよいかもしれません。

私は美しいものが好きです。哲学が精神の薬なら、私にとって美は心の薬です。美を感じてこそ、楽しいことばかりでない日々も生きやすくなると感じます。しかし美の力は大きく、ときに毒にもなります。だからこそ、美の自律性は近代に確立されたものであり、その価値観が普遍的ではないことを意識しておくのがよいのではないでしょうか。

第4章

崇高

——恐ろしい大自然から心を高揚させる大自然へ

1 「崇高なものが登山の本質だ」

本章は山についての話から始めたいと思います。

「そこに山があるから」

山と言えば、この有名なフレーズを思い浮かべる方も多いのではないでしょうか。イギリスの登山家、ジョージ・マロリー（1886～1924、図1）の言葉です。

1920年代、世界最高峰エベレストの頂上には、まだ誰も足を踏み入れたことがありませんでした。マロリーは登頂を2回試みたあと、ニューヨーク・タイムズの記者に「どうしてエベレストに登りたかったのか」と尋ねられ、ただ「そこにあるからだ」と答えます（日本語では、主語のitが「エベレスト」ではなく「山」と訳されて広まりました）。そして3度目の挑戦に臨みましたが、山頂付近で消息を絶ってしまいました。

登山家にとって英雄的な存在となっているマロリーは、文筆活動も行っていました。ここでとりあげたいのは、彼が「そこにあるから」と言った9年前に、登山雑誌へ寄稿したエッセイです（「芸術家としての登山家」1914）。

このエッセイでマロリーは「登山家はなぜ命を危険に晒してまで山に登るのか」という素朴な疑問に対して、「そこにあるから」よりも具体的に、彼なりの回答を提示していま す。エッセイの最後は次のような文章で締め括られます。

何か崇高なものが登山の本質だ、と〔私たち〕登山家は主張する。登山家にとって、丘の呼び声は素晴らしい音楽の旋律に比することができるのであり、この比較は馬鹿げたものではない。

図1　ジョージ・マロリー

マロリーによれば、山へと向かう理由は身体を動かすことが心地よいからとか、競争することが面白いからといったものではありません。それは他のスポーツでは得られないような感情を経験できるからだ、というのが彼の意見です。

その感情とは、どのようなものでしょうか。マロリーは次のように言います。

アルプスでは1日のうちにいくつもの景色に出会い、出来事が次々に起こる。たくさんの楽器で様々なメロディーを奏でる交響曲のようだ。偉大な交響曲が鳴り響くと、それは神の世界創造を思わせ、個人と宇宙がひとつに合わさったかのような心地になる。それと同じように、登山では「高次の感情」で満たされる経験をする。

その「高次の感情」が、エッセイの最後になると「何か崇高なもの」と言い換えられます。それが先に引用した箇所です。人間を超えた存在に思いを馳せるような、崇高なものを感じる体験こそが登山の醍醐味だ。だから人は山に登るのだ——マロリーの考えをまとめるとこうなります。

音楽との比較も興味深いところですが、ここでは山が「崇高」と結びつけられる点に注目したいと思います。マロリーは山がもつ抗《あらが》いがたい魅力を何とか説明しようとして、最後に崇高という概念に行き当たりました。この100年前の登山家が綴《つづ》る言葉は、17〜18世紀の人々と同じ道を辿っています。

ヨーロッパでは近代になると、移動のためにアルプスを横断することが増えました。そうすると、アルプスでは独特の高揚感が得られることに人々が気づき始めます。そうした感情を掻き立てる自然やその感情そのものは、やがて「崇高」と呼ばれるようになりました。エベレストやアルプスのような、人間を圧倒するような大自然を前に感じるものを崇高と表現することもまた、近代美学において成立したことなのです。

2　本章のポイント

第3章では、近代に美はそれぞれの人が感じるものになったとお話ししました。それにともなって、それまでの美の概念からは逸脱するようなものに、新しい一種の美しさが認められるようになっていきます。美が主観的になっていくと同時に、美の種類も多様になっていったのです。

なかでも、自然の景色がもつ独特の魅力が見直されることになりました。そしてそうした魅力を表す「崇高」と「ピクチャレスク」という概念が誕生します。本章では崇高について、次章ではピクチャレスクについてとりあげます。

自然の景色は、ヨーロッパの伝統的な美の概念に相反するものです。自然は目に見える姿としては、不規則で無秩序だからです。

たしかに、天体の運行などは数式や図形で表すことができます。世界の目に見えない原理には、定まった秩序があるようにも思われます。しかしながら、私たちをとりまく森や川などを、ごく普通の人間の立ち位置から見渡した場合はどうでしょうか。色も形もバラバラで、移ろいやすいものです。左右対称ではありませんし、定規やコンパスで引いたようにはなっていません。どこからどこまでがひとつのまとまりと言っていいのか、境界も定かではありません。

自然の景色はプロポーションで捉えることができず、秩序や調和も見いだされません。それが近代になると、そうした不規則や無秩序あるいは不調和が肯定的に捉えられ、ある種の美しさが見いだされるようになるのです。これは大きな転換でした。

近代以前のヨーロッパの人々にとって、自然の無秩序さをもっともありありと感じさせるものが、雄大でときに凶暴な大自然でした。どこまでも続く巨大な山脈や、嵐に荒れ狂う大海原などです。ちっぽけな人間の身からするとあまりに果てしなく、無限に広がるような心地がします。どこかを中心にしてまとまりのある定まった形として捉えることが難しいという意味で、これらは不調和なものです。

　こうした大自然を前にすると、自然の大きさや力に恐ろしさを感じると同時に、心の高まりを覚えることがあります。神や宇宙と呼ばれる存在を思うときと似た感覚と言えます。先ほど触れたとおり、近代ヨーロッパの人々はアルプス横断という登山体験をきっかけに、こうした感情を強く自覚するようになりました。

　しかし、不調和なものがなぜ心を惹きつけるのでしょうか。

　これが近代人にとって大きな謎でした。それまでの「美」では説明できない、恐怖と混じり合った高揚感という、この矛盾するような感情を言い表すために用いられるようになったのが「崇高」の概念です。

　本章ではまず、ヨーロッパの人々と山の関係に注目し、人々がアルプスでそのような感情を発見するようになった経緯をまとめます（3　山に対する美意識の転換）。その次に、崇高という概念がどのように発展していったのか整理します（4　「崇高」概念の転換）。最後に、崇高の概念が現在どのように論じられているのか紹介し、この概念の広がりについて考えてみたいと思います（5　芸術は圧倒的なものとどのように関わることができるか？）。


不調和なものがなぜ心を惹きつけるのか？

3　山に対する美意識の転換

3-1　山は恐ろしく醜い場所だった（古代〜初期近代）

†危険で近づきがたい存在

中世以前の人々にとって、山は遠い存在でした。麓《ふもと》に広がる深い森に阻《はば》まれた、近づくことのできない、近づくべきでない場所です。ただ娯楽のために山に登るなど、狂気の沙汰でした。まずこの点に近現代との大きな違いがあります。

現在では登山道が整備され、登山道具なども発達しています。それでもまだ、低山であっても山登りにはつねに危険が伴います。昔であればなおさらです。

山に入ると帰ってこられなくなる、というのが珍しくない時代を想像してください。そうした時代に山に登るのは、やむをえない理由があるときだけです。通商や戦争などのために、山を越えなければ訪れられない場所へ行く必要があるときや、鉱物や薬草を採取するとき、あるいは修道士が俗世を離れて生活するときなどです。

山がどのようなものか身をもって知っていたのも、そうした実用的または宗教的な必要があって山に立ち入ったことのある人だけでした。現代の私たちなら写真や映像などで世界中の山の様子を見ることができますが、そうした画像資料もありません。平地に住む人々のなかには、山を実際に見たことがない人も少なくなかったことでしょう。

†崇拝と忌避の対象

容易に足を踏み入れることのできない山を、ヨーロッパの人々は（世界中の様々な地域にも見受けられることですが）人間を超えた存在の棲み家とみなしました。そしてこの神秘的な場所をときに崇拝し、ときに忌避しました。

ヨーロッパで山を神聖視する文化の代表としては、古代ギリシャと旧約聖書の世界があります。

図2　16世紀に描かれたノアの方舟とアララト山（サイモン・ド・マイル《アララト山に到着したノアの方舟》1570、個人蔵）

ギリシャ神話では、主要な12人の神々はオリュンポス山に住むとされ、詩や音楽の女神たちはヘリコン山やパルナッソス山に祀《まつ》られました。旧約聖書では、シナイ山でモーセが十戒を授けられ、アララト山にノアの方舟が漂着したと伝えられています（図2）。

他方で、山は邪悪で陰鬱な場所とみなされることもあります。

たとえば、スイスにピラトゥス山という険しい山があります。その山頂付近の湖には、イエス・キリストを処刑したローマ総督ピラトの霊が出没すると伝えられ、16世紀まで公式に立ち入りが禁止されていました。この山には竜にまつわる伝承も残っています。悪霊や魔物の巣窟《そうくつ》として山が語られる伝説は、洋の東西を問わず枚挙にいとまがないでしょう。

山に対する畏怖の念は、このようにポジティヴなイメージとネガティヴなイメージの両方を生みだしました。

†神の罰としての醜悪な山（山岳論争）

キリスト教文化圏に限ってみても、山に対する人々の反応は崇拝と忌避のふたつが混在しています。しかし初期近代には、山は醜悪な場所だとひどく貶《おとし》められることが多々ありました。これには神学的な背景があります。

キリスト教には、山は人間に対する神の罰の結果できたものだ、と考える思想が古代からありました。

前提とされているのは伝統的な美の概念です。山は自然物のなかでもとくに無秩序で、プロポーション理論における美の基準から大きく外れているように思われたのです。

日本に多いような緑に覆われたなだらかな山を想像すると、この感覚は分かりにくいかもしれません。標高が高くて草木もほとんど生えることができない、切り立った山を思い浮かべてください。ゴツゴツとした岩や土塊、さらには雪や氷塊が荒涼と広がる様子は、たしかに乱雑で無秩序だという印象を受けるでしょう。

そのため、美しくもない山はいったい何のためにいつ創造されたのか、と議論がなされてきました。これを「山岳論争（山巓《さんてん》論争）」と呼びます。簡単に紹介しましょう。

旧約聖書の『創世記』冒頭では、神が6日間かけて世界を創造する様子が語られます。創造の3日目に神は陸と海を分け、陸に草木を生やします。このときに山も創られたと解釈するのが自然でしょう。

しかし『創世記』には、陸を創ったあとに「神はこれを見て、よしとされた」と記されています。神がよしとされた世界は、このうえなく美しい世界のはずです。山はそれ自体が無秩序であるだけでなく、地表に不規則な凹凸を生じさせます。それゆえ天地創造の時点での陸地には山がなく、緑豊かな平野が広がる平坦なものだった、と解釈する人々もいました。

その場合、山はいつできたのでしょうか。諸説ありますが、大洪水（『創世記』第6〜9章）のときとする見解が多数を占めていました。

アダムとイヴが楽園を追放されたあと、地上に増えた人間は堕落してしまいます。そこで神は人間を滅ぼすため、大洪水を起こしました。この洪水で自然の姿はすっかり変化し、山も出現した、と考えられたのです。天地創造のときから山はあったとする解釈のなかにも、大洪水で山はさらに高く険しくなった、とする立場がありました。ちなみに旧約聖書では、大洪水の物語で初めて具体的な山（アララト山）の名前が登場します。

美しかった原初のなだらかな世界は、人間に対する罰として壊され、凹凸の激しいものになったというのです。そして山は人間に原罪を思い起こさせるために存在するのだ、と説明されました。このような世界観からすると、山は陰鬱で醜悪な、嫌悪すべきものです。

論争と呼ばれるように、これには反対意見もありました。しかしこのような議論が出てくるほど、山というものはヨーロッパの美意識では理解しがたいものだった、ということが分かると思います。

山岳論争は中世に下火になるものの、宗教改革のとき（16世紀）に再燃し、17世紀後半にピークに達しました。17世紀に論争が激しくなった一因が、アルプス横断の増加です。

3-2　登山による印象の変化（17世紀以降）

†ペトラルカの登山

登山の歴史を語るうえで必ず言及されるのが、14世紀イタリアの詩人フランチェスコ・ペトラルカ（1304〜74）です。

ペトラルカが出版した書簡集のなかには、彼がただ高い所からの光景を見てみたいという好奇心から山に登り、そのときの様子を友人に書き送った、という手紙が収録されています（「ヴァントゥー山登攀記」1336年4月付）。

純粋に景色を楽しむことを目的にしたという点で、これは近代登山の嚆矢《こうし》であると言われています。彼以前にもそうした登山をした人はいたかもしれませんが、記録に残っているものではペトラルカが最初です。

しかし現在の研究では、この手紙はおそらくフィクションだろうと考えられています。執筆年だけでなく、彼が本当に登山を決行したかも確実ではありません。

内容からしても、宗教的な戒めを示そうとする性格が濃厚です。ペトラルカが記すところによると、彼は山頂で雄大な眺めに感嘆しつつ、ふと携行していた書物（キリスト教の教父アウグスティヌスによる『告白』）を開きます。そこには、人々が地上の光景を見たいという欲求にばかり駆り立てられ、内省を怠《おこた》っていることを諫める言葉が書かれていました。ペトラルカは自分がその通りだったことに啞然《あぜん》とし、その後は同行者の弟とも口を聞かず、内省に浸りながら下山したと語られます。

こうした点から、ペトラルカの登山については評価を保留しておいたほうがよいでしょう。

のちに「崇高」と名づけられるような感情を体験し、それを言葉で表明したのは、山に登りたくて登った人々ではありません。移動のために仕方なくアルプスを横断した人々でした。

†グランド・ツアー

近代ヨーロッパでは、17〜18世紀のイギリスを中心に「グランド・ツアー」と呼ばれる旅が流行しました。

グランド・ツアーとは、裕福な家庭（貴族や上流の中産階級）の若者がひととおりの学業を終えたあとに、教育の総仕上げとして行った国外旅行です。修学旅行のようなものですが、学校行事ではありません。各家庭の子息が家庭教師と従者を同伴して、少人数で長期間かけて旅しました。

ルートはだいたい似たようなものでした。一番の目的地はローマです。当時の教育の基礎は古典古代の文化だったからです。イギリスからはドーバー海峡を渡ってフランスに入り、さらに南下してイタリアへ赴きました。フランスからイタリアへ向かうためには、海

図3　《モン・スニ峠を通る人々》1755、大英博物館　©British Museum

路を使わないかぎり、アルプスを越えなければなりません。

　現代よりずっと交通の便が悪かった時代、大変だったグランド・ツアーの移動のなかでも、アルプス横断は最大の難関でした。もちろん鉄道はまだ整備されていませんし、山道では馬車もなかなか使えません。担架のような椅子で運んでもらったり（図3）、馬やロバに乗ったりして、厳しい気候や滑落の危険に耐えながら進みました。

　グランド・ツアーに出ることができたのは、教養ある身分の人々です。伝統的な美の概念についても心得ています。そうした人々にとって、書物から得た知識を実地の見聞で深めるための旅のなかで、アルプスは忌々《いまいま》しい場所に映りました。

旅の記録を残した人々のなかには、アルプスでの疲労と恐怖だけでなく、無秩序な光景に対する不快感を綴っている人もいます。椅子で運んでもらっているあいだじゅうずっと目をつぶっていた、という人もいました。景色を楽しむどころではありません。

ところがそのなかから、たんなる嫌悪ではない感情をアルプスで感じたことを証言する人々が出てきます。

†理論と経験の衝突（バーネット）

とくに影響力が大きかったのは、イギリスの神学者トマス・バーネット（1635～1715）です。

彼は貴族の家庭教師としてグランド・ツアーに出ました（1671）。そこでアルプスの光景に大きなショックを受けます。乱雑な岩と土塊の集まりという途方もない無秩序がこの世界に存在することは、神学者である彼には受け入れがたかったからです。

旅の途上で深い海や洞窟などにも接したバーネットは、この凹凸の激しい混沌とした現在の世界は神の作品ではありえない、と感じました。そして、これには満足のいく説明が与えられなければならないと決心します。

そうして執筆されたのが『地球の聖なる理論』(ラテン語1681／89、英語1684／90)という著作です。この本でバーネットは当時の自然科学も応用しつつ、地球の太古の歴史について壮大な理論を提唱しました。

彼によると、地球はもともと卵のように滑らかな球体をしていました。表面には海も山もなく、均一な平原が広がっています。一方で地下深くには、大量の水が蓄えられていました。しかしある日、神は堕落した人間を罰するために、この美しい球体を破壊します(図4)。地殻に亀裂が入り、水が溢れ出て大洪水が起こりました。地表は大きく崩れ、山や海などができました。山はこうして世界が破壊されて「廃墟」となった姿だ、とバーネットは説明します。

これに対して賛否両論が巻き起こります。山岳論争が激しくなる引き金にもなり、『地球の聖なる理論』は18世紀に入ってもヨーロッパで広く読まれました。

山岳論争において、バーネットは山を原罪の象徴とみなす側の急先鋒です。しかしながら、彼には矛盾する態度が見受けられます。反対者からはこの点にも非難の矛先が向けられました。

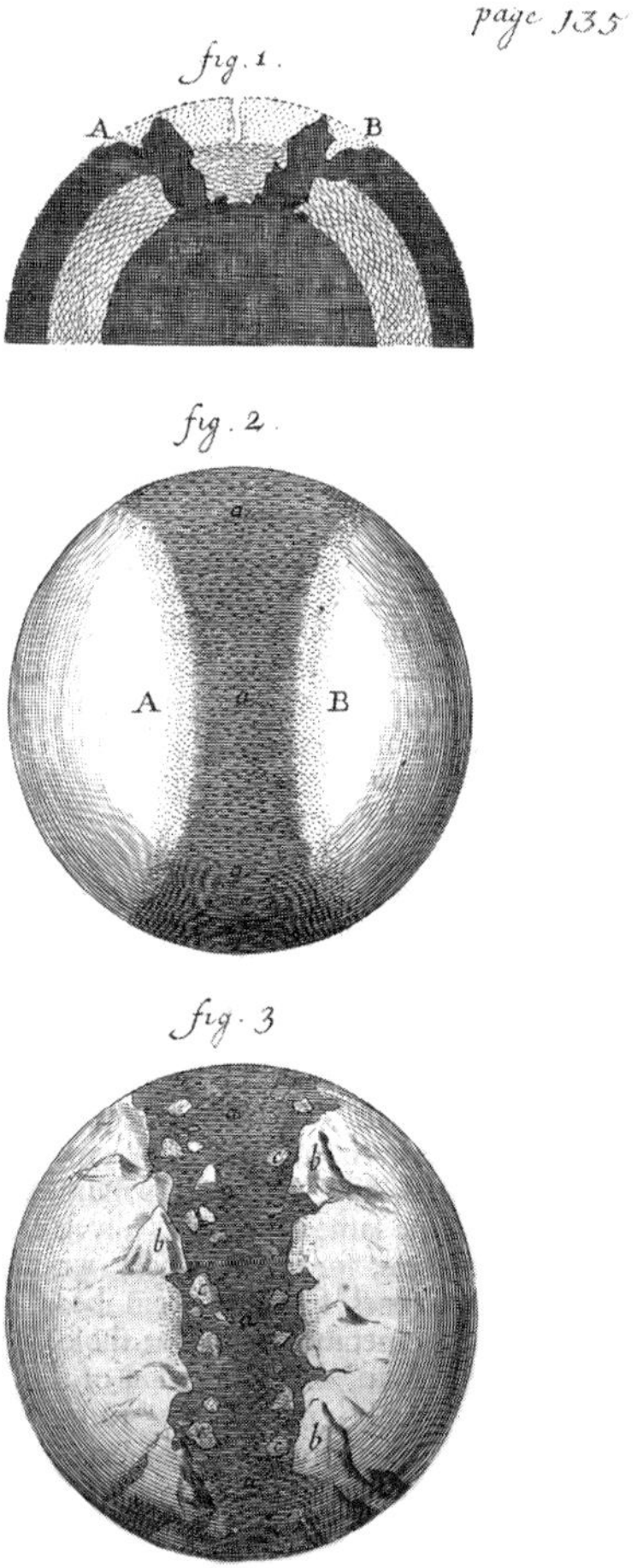

図４　トマス・バーネット『地球の聖なる理論』(1684)より
©alamy

山ほど醜いものはない、とバーネットは言います。ところが山について述べる箇所の冒頭では、海や山ほど眺めていて喜びを感じるものは広大な空の他にはない、とも書いているのです。

彼は続けます。こうしたものには荘厳な雰囲気があり、私たちは思わず神に思いを馳せる。人間が把握するにはあまりに大きくて無限を感じさせるものは、私たちをその過剰なまでの巨大さで圧倒し、心は「ある種の心地よい茫然自失と賛嘆」に陥る、と。彼はすぐさま、とはいえ山は世界の廃墟であって、その壮大さに感嘆するべきではない、と付け加えます。

思想史研究の見地からすると、バーネットの一貫性のなさは理論の杜撰《ずさん》さを示すものというより、重要な意味を持つものです。新しい美意識が生まれようとしているしるしだからです（こういうところに私は思想史研究の面白さを感じます）。

雄大な自然を賛美するくだりは明らかに、グランド・ツアーの経験に基づいた、率直な気持ちが表れたものでしょう。山に嫌悪感を抱くことも一種の心地よさを感じることも、バーネットにとってはどちらも本心だったのではないでしょうか。

山が両極端な感情を引き起こすことについて、バーネットが掘り下げることはありませんでした。バーネットのモチベーションは、なぜ無秩序で醜い山が存在するのか、そのことを説明する点にあったからです。なぜ醜いはずの山に惹きつけられるのか、その感情を探究する点にはありませんでした。

†歓喜に満ちた戦慄（デニス）

『地球の聖なる理論』から数年後、バーネットに見られたような相反する感情をアルプスで経験し、それを的確に言語化した人がいました。文芸批評家であり劇作家でもあったジョン・デニス（1657／58〜1734）です。

彼はやはりグランド・ツアーでアルプスを訪れました（1688）。そのとき彼は友人へ手紙を書き送ります。手紙は雑誌に掲載され、数年後には著作集に収録されました（手紙をこのように公開することは、当時としては珍しくないことです）。そこにはアルプスで受けた強い印象が、生き生きと興奮気味に綴られています。

デニスはバーネットの『地球の聖なる理論』を読んでおり、その理論を仮説として受け入れていました。そのためデニスにとっても山は忌まわしい「廃墟」に見えました。彼はアルプスの光景を、廃墟の上に廃墟が途方もなく山積みとなっている、と表現します。

ところが死と隣り合わせの危険な山道を歩きながら、彼は今までに感じたことのないような動揺を覚えます。その動揺とは「歓喜に満ちた戦慄、恐怖に満ちた喜び」であり、「果てしなく（無限に）喜びを覚えながら、同時に身震いした」と彼は言います（この記述をバーネットの『創世記』解釈への異議申し立てとみる研究者もいれば、バーネットの矛盾する態度から示唆を受けたものと考える研究者もいます）。

デニスはさらに友人へ語ります。花咲く野原やさらさらと流れる小川はたしかに喜びを与えてくれる。しかしそれは瞑想へと誘《いざな》うような、静かな喜びだ。それに対してアルプスの景色は、恍惚とさせる喜びを私に引き起こした。それは恐怖やほとんど絶望のようなものが混ざった、尋常ではない恍惚感だった、と。

穏やかな自然が引き起こす心地よさとは対照的に、巨大で恐ろしい自然は、恐怖と歓喜という相反するものが混ざりあった激しい感情を喚起する。アルプスでの体験からデニスはこのような考えを導きだしました。ここにはのちに美と崇高として定式化される対比がすでに示されています。

ちなみにデニスはこうした大自然が目に与える効果を、恐ろしい響きをもった音楽が耳に与える効果にたとえています。本章の冒頭で引用したマロリーは、ひょっとするとデニスを読んでいたのかもしれません。

†崇高概念との交叉

さて、バーネットとデニスは、たんにグランド・ツアーでの体験を吐露《とろ》しただけなのでしょうか。

美学史では、17世紀末のこのふたりはあくまで大自然を前にしたときの心情を描写したのであり、そのときの感情が崇高と呼ばれるようになったのは18世紀に入ってからである、と語られることが多いです。

これはたしかにその通りです。なにより両者とも「崇高」という語を使っていないからです。自身の体験をまとまった理論にしてもいません。また次節でお話しするように、大自然が喚起する崇高な感情については、18世紀に美と比較されることによって理論が確立されます。この比較が可能になった一因は、18世紀に美が主観的なものへ変化していったことにあります。

しかし、バーネットもデニスも先に紹介したような言葉を綴るときに、ある文献の記述を踏まえていたのではないかと考える研究者もいます。もしそうであれば、それはふたりが「崇高」という概念を意識していたことを意味します。

その文献とはどのようなもので、ふたりにどのような影響を与えたのでしょうか。崇高の概念へと目を向けましょう。

4 「崇高」概念の転換

崇高という概念は、実は古代からありました。しかしこの概念もまた、近代に大きな変化を被《こうむ》ります。言葉がもつ崇高さを指していたものが、自然がもつ崇高さも（むしろこちらをおもに）指すものへと変化していくのです。このことは「修辞学的崇高」から「自然の崇高」への転換と表現されることもあります。時代順に見ていきましょう。

4－1 言葉の崇高（古代～17世紀）

†文体としての崇高

17世紀まで、崇高は文芸理論の用語でした。文芸理論というのは、正確に言えば修辞学のことです。修辞学については第1章でも触れましたが、現代風に言えばライティングとスピーチのスキルを教える分野のことです。古代に確立され、近代に至るまでヨーロッパの教育の基礎をなしていました。

修辞学のライティングに関する部門のなかに「三文体」と呼ばれる理論があります。これは文体を3種類に分ける考え方です。簡潔な文体、格調高い文体、その中間の文体の3つです。それぞれ順に、平淡体や簡素体、崇高体や荘重体、中庸体や華文体などと呼ばれます。修辞学では、この3つを適切に使い分ける方法が論じられます。

たとえば教科書や論文で美辞麗句が並べたてられていたら、理解の妨げになってしまいます。人に何かを教えたり証明したりすることが目的の文章には、明瞭で簡潔な平淡体を選びます。

反対に、壮大な英雄物語や、厳粛な雰囲気のセレモニーでのスピーチなど

古代からあった崇高の概念が
「自然」と結びついていく

には、重々しい調子が合います。凝った詩的な言い回しをふんだんに使うくらいでちょうどよいでしょう。読み手や聞き手の心を揺さぶり、強く惹き込ませることが目的の文章には、崇高体が合います。

このどちらでもなく、読み手や聞き手を楽しませながら何かを伝えたいときには、中間の文体にします。無味乾燥にも仰々しくもならないように、やりすぎない程度に比喩表現などを織り交ぜるのがよいとされます（本書も中庸体で書いているつもりです）。

このように修辞学における崇高とは、文体の種類を表すために使われた言葉のひとつでした。一般的な修辞学の著作では、それぞれの文体で書くときに使える具体的なテクニックを解説することに重点が置かれます。

ところが古代の書物のなかに、崇高を主題にとりあげて哲学的な考察にまで深めたものがありました。

†ロンギノスの『崇高について』

『崇高（高さ）について』というギリシャ語で書かれた著作があります。これは謎の多い書物です。

古代にも中世にも、この本について言及した文献は見つかっていません。本文も完全には残っておらず、3分の1くらいの箇所が欠落しています。

著者はカッシウス・ロンギノス（213〜273）という修辞学者だと長らく考えられてきました。しかし19世紀になってから、本当の作者は誰か別の人だと判明しました。ロンギノスは3世紀の人物ですが、この本は内容からすると1世紀頃に執筆されたものだからです。便宜的に、現在でもロンギノス作または偽ロンギノス作と表記されます。本書でも、この正体不明の作者をロンギノスという名前で呼ぶことにします。

これは間違いなく修辞学の本です。扱われているのは言葉がもつ崇高です。修辞技法の解説にも紙幅が割かれています。

しかし通常の修辞学とは違って、ロンギノスは崇高を他のふたつの文体と同列には考えていません。崇高とは作家に永遠の名声を与えるものだ、と彼は言います。

また、言葉よりも精神の崇高さを力説する点にも、この著作の独自性があります。ロンギノスによれば、崇高な言葉とは作家の精神の偉大さが表れたものです。それゆえ真の崇高に到達できるのは、限られた偉大な作家だけです。修辞学とは本来なら誰にでも（ある程度の素質があれば）使えるテクニックを教える分野なので、ロンギノスの立場は独特です。

とはいえロンギノスは、だから努力しても無駄だと言うのではありません。偉大な作家の言葉に心打たれて高揚感を味わうことが重要だ、という点が強調されます。なぜなら、読み手や聞き手はそれによって作家の高邁な精神に感化され、自分も精神的に高められるからです。崇高を感じることによって人格が陶冶《とうや》される、というのがロンギノスの主張の力点です。ライティング技法の習得よりも、崇高体験によって得られる教育的な効果が重視されているのです。

では、ロンギノスの考える崇高とはどのようなものなのでしょうか。

それは読み手や聞き手を抗いがたい力で圧倒し、忘我の境地へ至らせる言葉です。そのような言葉に触れると、驚きと感嘆が引き起こされます。

ロンギノスにとって、崇高は作品全体から感じられるものではなく、ちょうどよいタイミングで使われた言葉に表れるものです。それはほんの短いフレーズのこともあります。崇高は「稲妻の一撃のようにすべてを粉砕する」と彼は言います。

ロンギノスが挙げる例のなかで、近代によく引用されたのは『創世記』冒頭の言葉です。「神は言われた。「光あれ」。こうして、光があった」。この記述には、神の偉大さと、それを的確に捉えた『創世記』執筆者の偉大さが凝縮されています（ロンギノスは精神の偉大さについて論じるとき、登場人物と作者の区別はとくにしていない様子です）。

神の言葉が例に引かれることにも示されているように、崇高は神的なものと関わる概念です。ロンギノスは偉大な作家を「ヘロス（半神、英雄）」とも呼びます。そして神的なものについて語るなかで、ロンギノスは次のように自然の光景に言及します。

そもそも人間には、偉大で神聖なものに思い焦がれる心が植えつけられている。神の領域にまで自己を高めることが、人生の目的だからである。私たちが清らかな小川よりもナイル川や大海に感嘆し、澄んだ人工の火よりもエトナ山の噴火に畏怖の念を覚えるのもそれゆえである、と。

ロンギノスは大自然が崇高だと言っているわけではありません。しかしこの記述や先の「稲妻の一撃」という比喩は注目に値します。私たちが荒々しい大自然に惹かれる理由が、崇高という概念に関連があることを示唆しているからです。この自然に関する記述が近代の崇高の概念へ繋がっていくポイントになります。

崇高は「稲妻の一撃のように
すべてを粉砕する」（ロンギノス）

†ロンギノスの再発見と再解釈（ボワロー）

『崇高について』はこうした独自の洞察に富む書物ですが、中世までほとんど読まれず、忘れ去られていました。

古代文化が復興されたルネサンス時代になると、他の多くの古代文献と同じように『崇高について』も再発見されます。16～17世紀には、ギリシャ語の原典とラテン語訳がいくつか出版されました。しかしあまり注目されなかったようです。17世紀半ばにはイタリア語と英語にも訳されましたが、状況はそれほど変わりませんでした。

ところが1674年にフランス語訳が出版されると、とたんに話題を集めるようになりました。翻訳書はイギリスやドイツにも広まり、18世紀をとおして熱狂的に読まれました。

翻訳したのはニコラ・ボワロー＝デプレオー（1636～1711、図5）です。詩人で文芸理論家であり、新旧論争（第1章の4－1を参照）における古代派の代表としても知られています。

なぜボワローの訳は反響を呼んだのでしょうか。これにはいくつかの理由があります。ボワローは文壇で権威ある人物だったこと。まもなく新旧論争が勃発し、ロンギノスの発掘はその議論の一環になったこと。フランス語は近代ヨーロッパで、各国語のなかでもっともよく使われた共通言語だったこと、などです。

しかしなにより決定的な要因がありました。ボワロー以前に『崇高について』を編纂したり翻訳したりした人々は、この書物を崇高体についての論考として扱っていました。個々の修辞技法を崇高の概念と関連づけることなしに、バラバラにとりだして論じていました。それに対してボワローは『崇高について』を修辞学の伝統から切り離し、この著作の核心は文体論ではなく「崇高」という哲学的な概念だと指摘したのです。

ボワローは翻訳書に付した序文で、ロンギノスが崇高と呼ぶものは修辞学で言うところの崇高体ではない、とはっきり宣言しました。崇高とは心を高揚させ、恍惚とさせ、忘我に至らせるような、尋常ではない驚くべきもののことだ、とロンギノスの見解をまとめます。

図5　ニコラ・ボワロー＝デプレオー

ボワローは続けて、崇高と崇高体の違いについて説明します。彼によれば、崇高体は大袈裟な物言いをするものですが、そのような文体が必ずしも崇高とは限りません。たとえば『創世記』の冒頭が「自然の最高権威者は、ただ一言でもって光を生みだし給《たも》うた」と表現されたらどうでしょうか。これは崇高体で書かれた文章ではあるものの、崇高にはほど遠い、とボワローは言います。

この説明からも読みとれるように、ボワローは崇高が「光あれ」のようなシンプルな短い言葉にも宿ることを強調します。これには、当時フランスで流行していた華美な文芸に対する批判も含まれていました。ちなみにボワローはのちに、17世紀フランスの劇作家ピエール・コルネイユの作品にある台詞も崇高の典型として評価し、古代と近代を架橋しようともしました。

ボワローの功績は『崇高について』を翻訳したことだけではなく、修辞学の文献として埋もれていたロンギノスに光を当て、そこから「崇高」を哲学的な概念として抽出した点にあります。ボワローはロンギノスのことを、ソクラテスに匹敵するような哲学者であるとさえ評価しています。

もしもボワローがいなければ、崇高というのは文体の種類を表す言葉にとどまり、18世紀の美学を大きく変化させることもなかったかもしれません。

4-2　自然の崇高（18世紀以降）

こうして古代の『崇高について』が近代のフランスで再解釈されることによって、修辞学の理論に収まらない崇高という哲学的な概念が登場しました。ただしフランスでは、崇高は文芸理論の用語として発展しました。それがイギリスに入ると、やがて自然の景色に対して言われるようになっていきます。そうして18世紀後半には、崇高は言葉に対してだけでなく、むしろおもに自然に対して用いられる概念に変化しました。

†自然体験とロンギノス『崇高について』のリンク

崇高の概念を大自然に結びつけた、最初の近代人は誰でしょうか。

それを特定するのは困難です。18世紀前半まで、自然に対しては「広大な（グランド、ヴァスト）」や「壮大な（マグニフィセント）」といった言葉しか用いられません。しかしこれらは「崇高（サブライム）」の類語でもありました。崇高という語を使っていないからといって、崇高の概念と無関係とは判断できないのです。

3－2で見たバーネットやデニスの記述がそうです。彼らはそこで「崇高」とは言っていませんが、ボワローが抽出した『崇高について』のキーワードをちりばめています。尋常でない、驚き、驚嘆、圧倒、恍惚、忘我、神などです。また、デニスは穏やかな自然と巨大で恐ろしい自然を対比しましたが、これもロンギノスにすでに見られた観点でした（なおふたりとも他の箇所では、17世紀イギリスの詩人ジョン・ミルトンに対して「崇高」という語を使っています）。

そのため研究者のなかには、バーネットやデニスはロンギノスが大自然へ言及するくだりを明らかに意識しており、その議論を敷衍《ふえん》した最初期の人々だと考える人もいます。本書もその立場です。

とくに文芸理論家であったデニスは『崇高について』を熱心に読み、ロンギノスをイギリスへ紹介する役割も果たしました。敵対する作家に「ロンギノス卿」とのちに揶揄《やゆ》されるほどです。言葉遣いや観点が一致していることは、偶然とは考えにくいでしょう。

彼らのような人々を経て、崇高の概念が自然についても当てはめられるようになると、文芸では強調されていなかった特徴が前面に出てきます。彼らがアルプスで感じたような無秩序さや醜さです。そしてそれにもかかわらず心が高揚するという、矛盾を孕《はら》んだ感情です。

ロンギノス卿と呼ばれたデニスでしたが、こうした特徴について理論を展開することはありませんでした。彼が筆を揮《ふる》ったのは、文芸の崇高さについてだったからです。自然の崇高についてのまとまった理論が登場するのは、バーネットやデニスから半世紀以上あとになってからでした。

†自然の崇高の確立（バーク）

第3章でも言及したイギリスの政治家エドマンド・バーク（図6）は、生涯で1冊だけ美学に関する本を執筆しました。それが『崇高と美の起源』です。バークが政界へ入る前、まだ名前も知られていない頃の著作です。しかし出版後まもなく国内外で広く読まれただけでなく、美学史を画する書物となりました。

『崇高と美の起源』でバークは、17世紀後半から芽生えていた崇高についての議論を体系化し、自然の崇高という概念を確立しました。彼の一番の功績は、崇高と美を比較して考察し、なおかつ崇高を美の一種ではなく美に対置されるものとして区別した点にあります。バークによって、崇高は美と並ぶ概念になったのです。

図6　エドマンド・バーク

バークが崇高と美を対比することができたのは、これらを感じるときの私たちの感情に着目したからです。前章で紹介したように、美はプロポーションにあるとする伝統的な考えを彼ははっきりと否定しました。そうして美を主観的に捉えるアプローチをとったからこそ、伝統的な美の基準では測ることができなかった崇高について、美と比較して論じることが可能になったのです。

感情に着目したと言っても、バークの関心は、対象のもつ性質がどのように私たちの心に影響を与えるのか、そのメカニズムを解明することにありました。つまり「美しい」とか「崇高だ」と私たちが感じる原因は、ある程度はものの側にあるという考えです。

そのため彼は、崇高なものと美しいものをリストアップすることもしました。いくつか紹介しましょう。括弧内は具体例です。

崇高なものとは、恐ろしいもの（大海、蛇）、曖昧なもの（寺院や森などの暗闇、霧、亡霊）、力を持ったもの（雄牛、ライオン、君主、神）、広大なもの（高い山、切り立った崖）、壮大なもの（星空）、無限のように思われるもの（反復される音）、何かが全面的に欠如したもの（空虚、闇、沈黙）などです。

文字通り巨大なものだけでなく、蛇などの小さくても危険なものも考慮されています。「力」に着目したこともバークの特徴です。

また無限性を人工的に作りだす要素としては、同じ形や色彩が連続すること（丸天井）と、画一的であること（同じ柱が並ぶ寺院）が必要だとされます。

さらに、感覚を圧倒するような過剰な光や音（稲妻、嵐、大砲、夜に突然響く時計の音）、ゴツゴツして起伏のある粗さ、直線、急な角度、陰鬱で暗い色なども挙げられます。

美しいものはこの反対です。比較的小さなもの（小動物）、滑らかなもの（なだらかに傾斜する地面、動物の艶やかな毛並み、女性の肌）、緩やかな変化があるもの（小鳥の形）、繊細なもの（蔓植物）、穏やかで明るい色などです。

ここは哲学的な考察というよりエッセイ風の文章ですが、のちの芸術創作にも影響を与えた、『崇高と美の起源』の面白いポイントでもあります。

たとえば、イギリスでは18世紀中頃からゴシック・リバイバルと呼ばれる潮流が起こります。これはとくに建築と文芸で流行した中世趣味を指します。建築では中世後期のゴシック様式が模倣されました。小説では、夜の古城や修道院などを舞台に、地下空間や甲冑や迫害といった中世風の小道具立てによって、超自然的な怪奇とロマンスが描かれました。ゴシック小説やゴシック・ホラーなどと呼ばれます（中世趣味はロマン主義にも受け継がれていきます）。

バークが崇高なものとして挙げた事例には、ゴシック・リバイバルで好まれた要素が詰め込まれています。ただしゴシック・リバイバルの指標は崇高というより中世趣味であり、小説はホラーの性格が色濃く出ています。

また、18世紀末のピクチャレスクという概念や、さらには現代アートにも直接的に影響を与えました（ピクチャレスクについては第5章で、現代アートについては本章の5で扱います）。

さてそれでは、こうしたものがどのように私たちの心に影響を与えるのでしょうか。

バークは感情を「自己保存」と「社交」という観点から2種類に分けます。自己保存に関わる感情とは、自分の生命や健康を脅かしてくる、危険で恐ろしいものが引き起こす感情です。それは苦痛を与えます。社交に関する感情とは、他人や動物と愛情をもって付き合うなかで引き起こされる感情です。それは心地よさを与えます。崇高は自己保存に関わる感情であり、美は社交に関わる感情とされます。

ただし危険で恐ろしいものは、普通ならただ苦痛なだけです。それが崇高の感情を喚起する仕組みを、バークは次のように説明します。

苦痛が視覚や聴覚にのみ訴える場合で、なおかつ危険で恐ろしいものから一定の距離があり、危害が自分に及ぶものではないと感じる場合、「歓喜」が生じることがある。それは心地よさとは違って、ある種の「歓喜に満ちた戦慄、恐怖と入り混ざった平穏」である、と。

たとえば動物園で檻《おり》の向こうのライオンを見るときや、足場の安定した展望台から山頂の景色を眺めるときを思い浮かべるとよいでしょう。獰猛《どうもう》なライオンの姿や鳴き声、険しい山の光景や風の音などは、目や耳に入ってきます。しかしライオンに襲われたり、崖から滑落してしまったりする心配はありません。そのためその場を楽しむ余裕が生まれ、恐怖と歓喜が混ぜ合わされた感情が引き起こされる、ということです。

この歓喜は自己保存に関わる感情だからこそもっとも強い感情である、とバークは言います。そのなかでも強いものが驚きであり、比較的弱いものが感嘆、崇敬、尊敬とされます。尊敬を挙げるのはバーク以前には見られない点です。

こうしたバークの理論はドイツへ入り、さらに発展していきます。

†人間理性の崇高さ（カント）

本書の第2章と第3章でも登場したイマヌエル・カントは、ここまでとりあげてきたイギリス人とは違って、グランド・ツアーには出かけていません。それどころか、生まれ故郷のケーニヒスベルク（現ロシアのカリーニングラード）から生涯一歩も出なかったと言われています。

しかし交通の要衝であるこの街には、多様な国の人々が行き交っていました。カントはそうした人々と積極的に交流したり、旅行記を読んだりすることで、まるで世界各地を旅したことがあるかのような幅広い知見を持っていました。

カントの崇高論はバークから影響を受けています。若い頃にはバークの『崇高と美の起源』に似た著作も書いています（『美と崇高の感情に関する考察』1764）。しかし晩年の『判断力批判』では、バークにはない観点から理論を深めました。簡単にまとめましょう。

カントは崇高なものをふたつに分類します。ひとつは、大きさや数が無限に思われるものです（カントは「数学的に崇高なもの」と名づけます）。たとえばアルプスのような山脈、宇宙、星空などです。

もうひとつは、力があまりに強大で、恐怖を引き起こすものです（こちらは「力学的に崇高なもの」と呼ばれます）。岩壁、嵐、雷、火山、荒れた海などです。

こうした自然が崇高を喚起する理由を、カントは次のように説明します。

圧倒的な自然を前にすると、人間は挫折を経験します。山脈や星空などの大きさや数は、理論によって概算することはできても、感覚によって全体を捉えることはできません。嵐や火山や海の脅威にはとうてい太刀打ちできません。人間は自分が無力な存在であることを思い知ります。

しかしこの挫折によってかえって、人間の精神的な側面に意識が向かいます。なぜなら、大きさや数が途方もない自然に対してさえ、人は頭で全体を捉えようとするからです。暴力的な自然に対しては、身体的には抵抗できなくても、人間性は屈しないことが分かるからです。ただし身の安全が確保されていることが前提条件です。

そこで人間は、自分は動物のような感覚や身体を持つだけの存在ではない、と思い出します。人間はちっぽけだけど理性を持っている。この点で人間は自然よりも優れている。この事実が明らかになることで人間への尊敬の念が生まれ、心が高揚します。これが崇高の感情だ、というのがカントの理論です。

そのためカントに言わせれば、本当に崇高なのは自然ではなく人間です。無秩序な山脈や荒れ狂う大海は崇高ではなく、たんにぞっとするものです。それを私たちは崇高の感情の引き金になった自然のことを崇高だと取り違えているのです。

このようにカントは、バークが導入しつつも弱い感情としていた「尊敬」を、人間に対する尊敬と読み替えて強調しました。バークが身体や感情に注目したのに対して、理性という精神的な側面に力点を置いたのがカントの崇高論です。

こうして自然の崇高という概念は、カントによって哲学的な理論として整えられると同時に、自然ではなく人間を中心にしたものになりました。カントには自然と人間を対立関係に捉えて、人間を優位に置く発想が土台にあります。ここは近代の崇高論の限界として、現在では反省されている点です。

†芸術に描かれた崇高な山

ここまで辿ってきたような美学の展開とともに、崇高な自然は芸術作品にも好んで描かれるようになりました。ここでは山（とくにアルプス）に関する作品に絞って、代表的なものを紹介します。

アルプスを初めて主題にした文芸作品は、スイスの詩人アルブレヒト・フォン・ハラーによる山岳詩「アルプス」(1732)です。彼は植物学者の友人とアルプスを訪れ、そのときの印象を詩にしました。公表後まもなく反響を呼び、ヨーロッパ各国で翻訳されました。

アルプスほど存在感のある山でさえ、300年前まで詩の主役にならなかったのです。意外に思われるかもしれませんが、「アルプス」の出版年がデニスとバークのあいだにあることを考えると合点がいくでしょう。

ハラーは山岳地帯の住人を満ち足りた美徳のある人々として描き、文明化された都市生活の退廃と対比しました。ネガティブなイメージを持たれがちだったアルプスを、道徳的な理想と結びつけて称賛したのです。これは文芸史におけるひとつの転換でした。

ハラー自身が植物学者だったこともあり、詩のなかでは高山植物に言及する箇所がとくに生き生きしていると評価されています。アルプスの自然を自分の観察に基づいて具体的に描写したことが、この詩の新しさのひとつです。

絵画も見てみましょう。

口絵5は、イギリス・ロマン主義の画家、ジョゼフ・マロード・ウィリアム・ターナーによる《悪魔の橋の中央から見たサン・ゴッタルド峠》（1804）という水彩画です。サン・ゴッタルドはスイスにある峠です。アルプス横断の最短ルートとして、中世末期から交通路が開拓されていました。2016年には世界最長の鉄道トンネルが開通し、大きなニュースになりました。ヨーロッパの南北をつなぐ象徴的な場所でもあります。

最短ルートとは言っても、狭い崖道などを越えなければならない危険な道でした。「悪魔の橋」は、一番の難所である渓谷に架けられた橋です。その中央に立ったときの眺めが描かれています。ターナーが1802年に初めてアルプスを訪れたときのスケッチをもとに制作されましたが、実際の景色よりも険しさが強調されているそうです。

この作品を私は数年前に日本で観る機会がありました。サイズはそれほど大きくなく、水彩絵具が使われているにもかかわらず、かなりの迫力でした。

まずゴツゴツとした岩肌が目に入ります。崖道を行く2匹のロバは、背中の重荷よりも恐怖から背中を丸めているようにも見えてきました。ターナーの足の下を流れていたであろう急流からは、水飛沫《みずしぶき》が霧となって立ち込めています。その青と白は雪山そして空へと繋がることで、垂直方向へ視線を誘導するとともに、清涼な空気を生みだしています。まさに「歓喜に満ちた戦慄」を観る者に体験させるような作品だと感じました。

近代の崇高概念について語るとき、必ずと言ってよいほど言及されるのが《雲海の上の旅人》（1817頃、口絵6）です。ドイツ・ロマン主義の画家、カスパー・ダーヴィト・フリードリヒの作品です。

画面中央の身なりのよい人物は、崖端にしっかりと足を掛けて、こちらに背を向けています。眼下には雲海が波打つように広がり、切り立った岩山がそこから顔を覗かせています。さらに山々が果てしなく続き、空と溶けあっています。

この絵画を観ていると、つい中央の人物と一体化するような心地がしませんか。構図からして、フリードリヒは観る者の意識を人物像へ向けようとしていると思われます。崖端が作る三角形の頂点に人物を立たせたり、中景の稜線が彼の胸元に集まるように左右対称のラインを作っていたりするからです。ちなみに風景画を多く残したフリードリヒの作品のなかで、ここまで人物が大きく描かれるのは例外的です。

《雲海の上の旅人》は自然の崇高さというより、むしろ大自然に屈せず立ち向かう人間の英雄的な崇高さ、つまりカント的な崇高を表現した絵画と言えます。

ターナーやフリードリヒに代表されるように、とくにロマン主義の芸術家にとって崇高は主要なテーマのひとつになりました。

5　芸術は圧倒的なものとどのように関わることができるか？

†崇高概念の復興と変容

崇高の概念は18世紀に美と対になる概念として成立しました。しかし19世紀中頃になると、それほど特権的なポジションではなくなります。

その要因は、美的範疇論と呼ばれるものが美学の中心的なトピックになったことにあります。

美的範疇論とは、美に近いけれども美とは区別される概念（広い意味では美に含まれるけれど、狭い意味では美から区別される概念）を分類し、それぞれの関係を体系化する議論です。美と崇高の他に、優美、悲壮、滑稽、醜などが挙げられます。こうした議論では、崇高は多くのカテゴリーのうちのひとつに過ぎません。

ところが20世紀後半から、崇高の概念が再び脚光を浴びるようになりました。しかも今度は美学・哲学や芸術創作だけでなく、政治や文明などを批判的に論じるためにも崇高が注目されるようになりました。

たとえば科学技術の急速な進歩があります。世界大戦での新兵器の発明や、コンピュータの目まぐるしい発達、超高層ビル群の建設など、もはや科学技術は人間にとって脅威でもあります。近代の人々が大自然に感じていた崇高の感情は、現代では科学技術に対する感情となった、と考えられています(「技術的崇高」などと呼ばれます)。

第3章で美の政治性について言及しましたが、崇高も政治に利用されることがあります。やはりナチスがその最たるものです。

ナチス政権は、先に紹介したフリードリヒの作品を自分たちの思想を体現するイメージとして用いました。また党員の建築家アルベルト・シュペーアは、党大会の会場を無数の対空サーチライトを空へ垂直に放射する設計で演出しました(図7)。自分よりも強大な存在に対する畏怖の念は、全体主義へと人々を傾倒させます。

さらには、資本主義によるグローバル化が現代における崇高として論じられることもあ

図７　アルベルト・シュペーア《光の大聖堂、1937年ナチス党大会》1937、アメリカ国立公文書記録管理局

ります。

ここで挙げた例はどれも人間の手によるものです。20世紀以降の私たちは、自分で生みだしたはずの強大なものに逆に圧倒されるようになっているのです。崇高はこうした現代社会の歪みを説明するためにも有効な概念としても注目されています。

†現代アートと崇高（抽象表現主義）

崇高は現代アートを理解するためのキーワードでもあります。なかでも戦後アメリカで隆盛した抽象表現主義の絵画は、崇高の美学の結実と見ることもできます。

ただし、近代の崇高が現代にそのまま受け継がれたわけではありません。ロマン主義に代表される近代の芸術では、自然（または人間）の壮大さや偉大さが高らかに描かれました。それに対して現代では、図像で（思い）描くことができないもの、あ

図8　ジャクソン・ポロック《One: Number 31, 1950》1950　©MoMA

るいは描くべきではないものをどのようにして提示するか、という問題意識へとシフトしたのです。以下ではこの点について、簡単ながら触れておきたいと思います。

抽象表現主義の特徴は、巨大なカンヴァスを使うこと、画面全体を均一に覆う表現にあります。均一に覆う表現というのは、図8のように複数の絵具が錯綜するものもあれば、口絵7のように同じ色で塗られた面を強調するものもあります。どちらもモチーフと背景といった区別がなく、画面のどこにも中心になるところがありません。

こうした作品には、崇高な感情を引き起こす効果があると考えることができます（「抽象的崇高」と呼ばれることもあります）。

カントに遡ると、『判断力批判』の崇高論では、たとえばピラミッドから感動を受けるためには近づきすぎても離れすぎてもいけない、ということも論じられます。抽象表現主義の絵画は横幅が数メートルにも及びます。美術館やギャラリーで鑑賞するとちょうど画面が視界いっぱいに広がり、観る者を包み込みます。またバークは形や色が連続していることと画一的であることを、無限性を人為的に生みだす性質として挙げていました。抽象表現主義の絵画は、まさに連続性と均一性を利用しています。

抽象表現主義の巨大で中心のない絵画の前に立つと、どこを見たらよいのか分からず、視線はあちこちに彷徨《さまよ》います。その少し落ち着かない気持ちは、近代人がアルプスの果てしない岩の重なりに困惑したときのものと似ているかもしれません。じっと見ていると、そのうち何か神聖なものを感じ、心の高揚を覚えることもありうるでしょう。

もちろん抽象表現主義の作品は、崇高という側面だけで説明し尽くされてしまうものではありません。そうは言っても、崇高の概念をかなり意識して創作していた画家がいたことは確かです。口絵7の《崇高にして英雄的な人》の作者であるバーネット・ニューマン（1905〜70）です。

ニューマンは崇高をテーマにしたエッセイも執筆しました（「崇高はいま」1948）。

そのなかで彼は、崇高と美を分離した点でバークを評価しつつ、現代アートの動向について次のような見方を示します。

印象主義やキュビスムなどの19~20世紀の絵画は、芸術を美と結びつける伝統的な（厳密に言えば近代的な）価値観から脱却するため、美しく描くという表現方法を壊そうとしてきた。しかし彼らは目に見える造形の部分に囚われていたため、伝統的な絵画が持っていた崇高な（つまり宗教的な）内容に代わるものを見いだせなかった。では、人々が共通の神話や伝説を持たない現代に、どのようにして崇高な芸術を創造することができるのか。ヨーロッパの伝統から自由なアメリカで、その答えが見いだされつつある、と。

神なき時代にどのようにして崇高なものを絵画で示すことができるのか。そのことをニューマンは追究したのです。《崇高にして英雄的な人》はそのひとつの到達点です。これを現代の宗教画と見ることもできるでしょう。

†描くことができないものに向き合う

ニューマンは崇高なものを現代にふさわしい仕方で提示するために、巨大な色面を鑑賞者の前に出現させるという手段をとりました。これはギリシャ神話やキリスト教などが現代では共同体に共通の宗教ではなくなったからです。

とはいえ、崇高なものとは人間の感覚では把握できない強大なものです。他方で芸術作品は感覚によって受けとるものです。そのため、そもそも芸術は崇高なものをぴったりそのまま描くことはできません。一部の宗教や宗派で神を描くことが禁じられるのも、そうした芸術の限界ゆえのことです。

こうしたことから、現代美学では崇高なものとは「表象不可能なもの（呈示不可能なもの）」であると言われます。20世紀後半のフランスを中心に論じられてきました。「表象不可能なもの」という概念で指し示される内容は、近代の崇高論とは力点が異なります。それは畏敬や尊敬の念を引き起こすものというより、むしろ私たちにとって途方もないほど暴力的で破壊的なものです。

もっとも極端な例が、第2次世界大戦中のホロコーストです。

この未曽有《みぞう》の惨事をどのように描いたとしても、現実の歪曲になってしまうことは避けられません。特定の人々だけに責任をなすりつけることになったり、犠牲になった人々への冒瀆になったりしてしまいかねません。ましてや感動的な物語に描いて美化することは、倫理的に許されることなのでしょうか。

ホロコーストに関するふたつの対照的な映画があります。スティーヴン・スピルバーグ監督の『シンドラーのリスト』（1993）と、クロード・ランズマン監督の『ショア』（1985）です。

前者では、多くのユダヤ人の命を救ったドイツ人実業家の物語が描かれます。他方で後者は、ホロコースト関係者の証言だけで構成された、約9時間半にも及ぶドキュメンタリーです。

ランズマンは『ショア』で、何も語ることができなくなる関係者の姿も、その沈黙とともに映しだしました。『ショア』は、ホロコーストについては何も描くことができないということを提示した映画です。実際にランズマンは、ホロコーストを物語に回収してしまう『シンドラーのリスト』を厳しく非難しました。

ファシズムとホロコーストは、近代ヨーロッパが目指した自由で平等で啓蒙された世界という幻想を打ち砕きました。戦後に生きる私たちはもう、これまでの芸術のように世界を美しいと寿《ことほ》ぐことはできません。とくに『ショア』以降、このような問題意識が共有されるようになりました。

なおドイツの哲学者テオドール・アドルノ（1903〜69）の有名な言葉に、「アウシュヴィッツ以後、詩を書くことは野蛮である」というものがあります。これも同様の立場を表明したものです。

フランスの哲学者ジャン＝フランソワ・リオタール（1924〜98）の見解では、戦後の前衛的な芸術家は、それゆえ美しいものではなく崇高なものを目指してきました。（思い）描くことができないもの（表象不可能なもの）を描かないままに提示しようと試みるものこそ前衛的な芸術だ、と彼は考えます。

ニューマンやリオタールの議論から分かるように、崇高の概念が20世紀後半に再興したのは、この概念が近代に美と対置されることで確立されたものだからです。美に代わる概念として、崇高が注目されているのです。

それでは、描くことができないものを提示しようとする芸術に、何の意味があるのでしょうか。あるいは「描くことができない」ということを指摘するだけなら、芸術でなくてもいいのではないでしょうか。

ニューマンをとくに重視したリオタールの議論を参考にすれば、次のように言えます。

ニューマンの絵画は現実世界の何かを指し示すことはなく、ただ巨大な色面として立ちはだかります。鑑賞者は何か異様なものがそこにあることに、雷に打たれたような驚きを覚えることでしょう。しかし何か特定の解釈に落ち着くことがないからこそ、そこから自由にかつ無限に想像をめぐらせることができます。

観る者に衝撃を与え、想像力を解放する。それは芸術だからこそなしえることではないでしょうか。

第5章

ピクチャレスク——荒れ果てた自然から絵になる風景へ

1 「絵になる景色を探す旅」

私は国内旅行をするとき、よく『ことりっぷ』というガイドブックを参考にします。同じシリーズで『ことりっぷマガジン』という季刊誌もあります。季刊誌のほうでは毎回様々なテーマで特集が組まれるのですが、2021年春号は「カメラを持って♪ 絵になる景色を探しに」というものでした。

図1はその特集の冒頭ページです。右側には、神奈川県の葉山にある真名瀬《しんなせ》というバス停が写っています。バス停の正面に立つと、ちょうど窓越しに富士山が見えるそうです。とても印象的な眺めです。

あとのページでも、ここは人気のフォトスポットだと紹介されています。試しに写真共有アプリで「真名瀬バス停」と検索してみると、これと同じような写真がざっと50枚は投稿されていました。

ガイドブックが「ここでこうやって撮るといいですよ」と勧める特定の場所とアングルに多くの人が従って、写真の旅を楽しんでいることが窺えます。

ところで、「絵になる」とはどういう意味なのでしょうか。

誌面に掲載されている写真を見るかぎり、屋内か屋外かは問わないようです。教会の内装や美術館の展示、さらには動物、雑貨、食べ物なども、そうした景色または風景とされています。

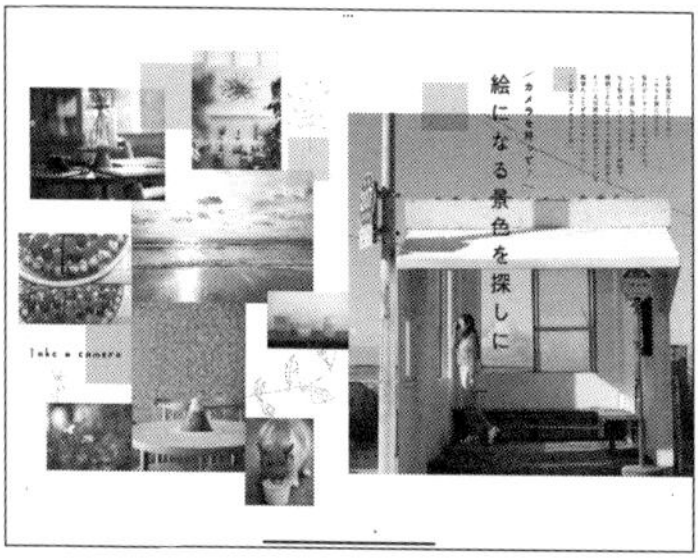

図1 『ことりっぷマガジン Vol. 28 2021 春』（昭文社）より

どうやらこの号のなかで「絵になる」という言葉は、「写真映え（フォトジェニック）」と同じような意味合いで使われているようです。もっと最近の言葉で言えば、写真共有アプリなどで人目を引くことを言う「SNS映え」や「インスタ映え（インスタジェニック）」に相当するでしょう。

辞書で「絵になる」と引くと、「絵の題材にふさわしいほど美しい」「絵に描かれたような趣がある」という意味で、光景や人の動作に用いる、と記載されています。

「絵になる人」とは、絵のモデルにふさわしいほど美しい人、絵に描かれたように美しい人のことになります。

このように私たちは普段、写真や絵にすると見映えがよい（それほど魅力的な外見をしている）、という意味で「絵になる」という言葉を使っています。

ここで突然ですが、図2と図3を見比べてください。どちらが「絵になる景色」だと感じますか。図2では、平坦な草原が広がり、似たような木が等間隔で並んでいます。規則的で、すっきりした印象です。図3では木々が生い茂り、川や廃墟も見えます。複雑で入り組んだ様子です。

「人によって好みがあると思うけど、私はこっちかな」というふうに考えた方が多いのではないでしょうか。しかしもし同じ質問を近代ヨーロッパの人々にしたなら、彼らにとって正解はどちらか一方に決まっていたはずです。

「絵になる」というのは、18世紀のイギリスで生まれた概念であり、美意識です。英語で「ピクチャレスク」と言います。

カタカナで表記されることにも示されているように、ピクチャレスクは現在の私たちが言う「絵になる」とは少し違った、近代の用語です。とくに自然の風景に対して用いられ、

図２　©depositphotos

図３　©alamy

もっと細かく定義された概念でした。

一方で近代イギリス人も現代人と同じく、絵になる風景を探しに旅をしました。そのなかの多くの人々は、ガイドブックがおすすめする特定の場所とアングルを目標に出かけました。もちろん手にしていたのはカメラではありませんが、別の道具を携えていました。普段何気なく使っている「絵になる」という言葉にも、近代美学が反映されているのです。そしてこの概念が誕生した経緯を知ると、近代に大きな美意識の変化があったことが分かります。

図2と図3についての答え合わせは3 - 2で行いますが、読み進めていくとすぐにお分かりになると思います。

2　本章のポイント

第4章では、近代になると自然の無秩序さが肯定的に捉えられるようになり、とくに大自然のもつ魅力が「崇高」と呼ばれるようになった、とお話ししました。なかでもエドマンド・バークの『崇高と美の起源』がこの概念を確立したことも紹介しました。18世紀後半のイギリスでは、バークのこの著作に影響を受けつつ、さらに崇高とは別の概念が誕生します。それが「ピクチャレスク」です。

ピクチャレスクは崇高と同様に、自然の無秩序さや不規則さがもつ魅力を表す概念です。この点で、伝統的な美の概念には当てはまらない、新しい美意識を表すものでした。

他方、ピクチャレスクは崇高ほど巨大で凶暴な自然ではなく、比較的穏やかな景観に対して使われた概念です。しかもたんなる無秩序ではなく、ちょうど1枚の風景画のように、全体としてはバランスのとれた風景のことを指します。

もちろん自然の景色はそのままでは統一を欠くものなので、眺める地点を固定したり、小道具を利用したり、見る人が手を加える必要はありました。そのようにして半ば人為的に生みだされたものとはいえ、調和があるという点でピクチャレスクは崇高と異なり、美と共通しています。

近代の美意識を表す3つの概念
美、崇高、ピクチャレスク

こうして美、崇高、ピクチャレスクという三つ組が、近代の美意識を表す概念として成立することになります。

先ほど「ちょうど1枚の風景画のように」と言いましたが、ピクチャレスクという概念は風景画から直接的に影響を受けて生まれました。本章ではまずこの点について整理しながら、ピクチャレスクについてまとめます（3　風景画とピクチャレスクの誕生）。

次に、ピクチャレスクという概念が現実の社会や文化へも影響を及ぼしていったことを紹介します。具体的には、旅行と造園というふたつに注目します（4　ピクチャレスクの広がり（観光と庭園））。

最後に冒頭の話にも触れながら、近現代の人々の自然に対する態度について美や芸術を切り口に考えてみたいと思います（5　美や芸術は自然とどのように関わることができるか？）。

3　風景画とピクチャレスクの誕生

意外に思われるかもしれませんが、風景画というものがヨーロッパで成立したのは近代になってからのことでした。風景画の誕生によって、さらに「風景」という概念も登場します。

このことは、自然に対する人々の意識の変化を反映しています。自然の景観をそれ自体として、鑑賞の対象として眺める態度が生じたのです。こうした土壌のもと、具体的な風景画の作品から影響を受けつつ、ピクチャレスクという概念が生まれることになります。

本節の前半では、風景画と風景の概念が近代に成立したことについて、簡単に紹介します。後半ではピクチャレスクの概念について、その定義や特徴をまとめます。

3-1 風景画と「風景」概念

†風景画の不在と登場

現代の私たちにとって、風景画はとても身近な存在です。睡蓮の池を描き続けたモネや、海洋画家として有名なターナーなど、見事な風景画を残した画家を何人も挙げることができるでしょう。そのため、風景画というものはいつの時代にもあるもののように思われるかもしれません。

しかしヨーロッパで風景画が独立したジャンルとして成立したのは、17世紀のことでした。意外なほど遅い、と思われた方も少なくないのではないでしょうか。

ただ山河や草木を人物像よりも大きく（あるいは人物像なしに）描いた絵画であれば、古代から存在しています。しかしそれらは、近代に誕生した「風景画」とは異なると考えられています。

古代や中世に描かれた自然の光景は、神話の場面を示すための舞台であったり、屋内にいながら野外にいるような感覚を引き起こすための装飾（図4）であったりするからです。あるいは薬草図鑑の挿絵などです。

こうした絵画では、自然は宗教的な意味を表す象徴的な役割か、飾りや資料としての副次的な役割を担わされています。自然はあくまでも背景で、季節や時刻によって表情を変えていく風景そのものが主役になっているとは言えません。

またギリシャ・ローマ神話では、自然は神の姿によって表されます。たとえば図5は、古代のモザイク画です。ローマ帝国の支配下にあったゼウグマという古代都市（現在のト

図４　《リヴィアの家の果樹園壁画》前１世紀、ローマ国立博物館

図５　《ユーフラテス川の神》1～２世紀頃、ゼウグマ・モザイク博物館

図6　アルトドルファー《歩道橋のある風景》1518～20、ロンドン・ナショナル・ギャラリー

ルコ南東部）の遺構から発掘されました。ここに描かれている白髭を蓄えた体格のよい男性は、ユーフラテス川の神です。人々に文明をもたらしたこの川は、自然景観として眺められているのではなく、そこに宗教的な世界観が投影されています。

それがルネサンス時代になると、画家の意識が明らかに人物像よりも背景の景色に向けられた作品が出てきます（ヨアヒム・パティニールの絵画など）。そして16世紀には、図6のような風景画が登場しました。ここでは自然の景色が宗教的な意味づけもなされずに、人物像なしに主役として描かれています。

そうして17世紀に入ると、風景画がひとつのジャンルとして確立されるに至りました。背景のひとつには、新興の市民階級も芸術を楽しむようになったことがあります（第2章の3－2を参照）。そうした人々が自宅を飾るために、手軽な風景画が好まれたのです。なかでもオランダは商業が発達したことや、宗教改革後に宗教画の需要が減ったことなどが要因となって、風景画の発展を先導しました。

†「風景」の誕生

ヨーロッパの言語で「風景」を意味する言葉は、大きく分けてふたつあります。英語の「ランドスケープ」と、フランス語の「ペイザージュ」です。ランドスケープはオランダ語（ラントスハップ）が起源です。

どちらの系統の語も16～17世紀にかけて、まずは絵画に描かれた景色のことを指す語として使われ始めました。次いで、ジャンルとしての風景画のことも指すようになります。そこからさらに実際の自然に対しても、趣のある眺めのこと、つまり「風景」を意味するようになりました。

風景画が登場したことで「風景画」という言葉も生まれ、そのあとになってから「風景」という概念が成立したのです。

自然を「風景」として見る態度は、自然を宗教的な象徴（神の御業、神々の棲家など）や実用的な手段（食用や薬用によさそうな草木、築城に適した土地など）として見る態度とは決定的に異なります。風景という概念の成立は、自然そのものが鑑賞の対象になっていったことを表しています。

†クロードとローザの描く風景

さて前章で紹介したように、17〜18世紀のイギリスでは、グランド・ツアーと呼ばれるヨーロッパ大陸への旅行が盛んになされました。旅の主要な目的のひとつは、ローマで美術品を鑑賞したり購入したりすることでした。そこでイギリスの人々はイタリアの優れた風景画にも接することになります。

なかでも人気があったのが、ローマで活躍したフランスの画家クロード・ロラン（1604頃〜82、本名クロード・ジュレ、以下では慣例に従ってファーストネームで略します）の風景画です。本章の内容にとっても重要なので、代表作《デロス島のアイネイアスのいる風景》（口絵8）を例に、その特徴を見ておきましょう。

まずは色使いに注目してください。全体にやや黒みがかった、落ち着いた色調をしています。それによって画面に平穏さと統一感が生まれています。

題材はギリシャ神話からとられています。画面の右下に描かれた人物像は、トロイの王子アイネイアス（オレンジのマントをまとった人物）の一行と、それを迎えるデロス島の王アニオス（白い衣服の人物）です。

とはいえこの絵画の主役は、こちらに背を向けたアイネイアスやアニオスではありません。アニオスが一行を先導する先に広がる、詩情溢れる風景です。

画面中央に枝分かれするようにそびえているのは、オリーブと椰子《やし》の木です。デロス島で生まれたとされる太陽神アポロンに縁のある、神聖な木々です。根元では羊飼いと山羊が休んでおり、奥には船の行き交う港が見えます。

画面右側の奥には、ドーム型のアポロン神殿が置かれています。ただしデロス島にこのような景観はありません。この建物の見た目は、ローマにあるパンテオンに似ています（アイネイアスはのちにイタリアへ渡ってローマ建国の礎を築いたと伝えられるため、その伝説を踏まえた表現です）。古代遺跡を自然の景色に組み合わせる点も、クロードの絵画の特徴です。

クロードの描くこうした牧歌的な風景画は当時から高く評価され、18世紀に入ってもヨーロッパ中で流行しました。

クロードと同じく、とくにイギリスで人気を博した17世紀イタリアの風景画家に、サルヴァトール・ローザ（1615〜73）がいます。

口絵9は代表作のひとつです。この作品もギリシャ神話を題材にしていますが、ここでは色とモチーフに注目しましょう。

やはり全体に暗い色調をしています。しかしクロードと違って、何か荒々しい空気が漂っています。それは起伏のある岩石、風になびきつつ自由に枝葉を伸ばす木々、鋭い枯れ木、といったモチーフから感じられるものでしょう。明暗のコントラストが強いことも、劇的な雰囲気を生みだしています。

こうした荒涼とした、野性味の溢れる風景がローザの絵画の特徴です。

グランド・ツアーをつうじて、憧れの土地ローマで目にしたこのような風景画は、イギリスの人々の心に理想的な風景のイメージを形成していきました。

3-2　ピクチャレスクの成立

イギリスの人々は次第に自然の景色を、記憶のなかにある風景画の情景と重ね合わせて眺めるようになりました。そのときにとくに彼らの心にあったのは、クロードとローザの絵画です。そうして「クロードやローザのような風景画に描かれるのにふさわしい」という意味で、「ピクチャレスク」という概念が生まれることになります。

†ピクチャレスクの定義

ピクチャレスクという語は、もとはイタリア語（ピットレスコ）で16世紀に生じ、そこから他のヨーロッパ言語にも流入しました。しかし18世紀前半までは、英語の「ピクトリアル」と同じような、「絵画的な」という広い意味を持っていました。どの言語でも、それほど普及した言葉ではなかったようです。

それが18世紀後半になると、この語に新しい意味が担わされるようになり、とりわけ自然の風景に対して用いられるようになります。

その新しい意味が形成され、ピクチャレスクという概念が注目されるようになったのは、牧師であり教師でもあったウィリアム・ギルピン（１７２４〜１８０４、図７）の功績によります。

彼は１７６０〜７０年代にイギリス各地を旅行し、旅先で出会った風景のスケッチと紀行文を作成しました。

図７　ウィリアム・ギルピン

その旅行記を1780年代以降に出版したところ、フランス語やドイツ語に訳されるほど好評を博しました。

旅行記のなかでギルピンは、自分が旅先で探し求めた風景を「ピクチャレスク」と形容し、それらの風景に共通する特徴を細かく記しました（『ワイ川観察紀行』1782など）。のちに理論的な著作も公刊します（『三試論』1792）。

ギルピンはピクチャレスクを「絵画において心地よさを与えるような、特定の種類の美」と定義します（『版画論』1768）。この「絵画」はあらゆる絵画を指しているのではなく、先ほども述べたとおり、クロードやローザが描くような風景画が念頭に置かれています。

ギルピンの旅の目的は、自然を観察することだけでなく、各地の友人を訪ねて美術品を見せてもらうことにもありました。そこではグランド・ツアーで熱心に買い集められていた、クロードを中心とするイタリア風景画（複製版画も含む）を多く目にしたと考えられています。彼のなかで、自然の景色とこうした風景画というふたつのイメージが重なり合っていったのは、当然の成り行きだったとも言えるでしょう。

なお、先の定義でピクチャレスクが「特定の種類の美」と言われているように、ギルピンはピクチャレスクを美の一種として扱うことが多々あります。「ピクチャレスクな美」という言い方も彼はよく使います。

これに対して、ギルピンの理論を踏襲しつつ発展させたユーヴデイル・プライス（1747〜1829）は、美とピクチャレスクをはっきり区別しました。彼はバークが『崇高と美の起源』で美と崇高を対置したことを受けて、ピクチャレスクはその中間にある第三の概念だと主張します（『ピクチャレスク試論』1794）。

では、そうした風景画を理想にした、ピクチャレスクな風景とはどのようなものだったのでしょうか。以下ではプライスも参照しつつ、おもにギルピンの記述に従って、ピクチャレスクの特徴をまとめましょう。

†不規則さによる多様性

ピクチャレスクの基本は「部分の多様性」と「全体の統一性」とされます。種々様々な要素が詰まっていながら、全体としては統一がとれていることが求められます。

多様の統一という考えは目新しいものではなく、古代から見受けられる美の原理です（第3章の3-1を参照）。これを原則にすることから、ギルピンがピクチャレスクを美の一種とみなしていたことも頷けます。

とはいえ、その部分の特徴については、ピクチャレスクは美とはっきり対置しながら説明されます。

ギルピンは、美しいものが端正で「滑らかさ」をもつのに対して、ピクチャレスクなものには「粗さ」があると言います。粗さとは、凸凹、ザラザラ、ゴツゴツした性質です。滑らかさと粗さは「規則性」と「不規則性」とも言い換えられます。

たとえば美しいものとは、芝生が広がるなだらかな丘、整備された道、磨かれた大理石、プロポーションに適った古代神殿風の建物、動きがしなかやで毛並みが艶やかな馬、若木、年若い人の顔などです。

それに対して、起伏のある土地、車輪の跡があって小石や小枝の散らばった道、切り立つ岩、廃墟となった城や修道院、身体が固く毛並みがゴワゴワした山羊やロバや牛、枯れ木、年齢の刻まれた老人の顔などは、ピクチャレスクなものとされます。

廃墟や枯れ木などは、長い時間の経過や、人間を超えた自然の力を感じさせます。プライスはこうした時間や自然の力をピクチャレスクの特徴として強調しました。自然は「偶然と放置」によってピクチャレスクになる、と彼は言います。ここから、生い茂る苔や雑草もピクチャレスクなものの代表とされました（なお廃墟趣味は18世紀前半から流行していました）。

凸凹でゴツゴツしたものはのっぺりとした滑らかなものよりも、表面や輪郭に変化があります。光と影のコントラストが生まれ、色彩のニュアンスも増えます。そのためピクチャレスクに必要な多様性を高める、という理由で推奨されました。

図8はギルピン自身が描いた、ピクチャレスクな風景とそうでない風景のイメージ図です。とても分かりやすいと思いませんか。どちらも3つの山の端が交差しています。しかしピクチャレスクでない風景は、稜線はなだらかで、左右対称に近い構図です。ピクチャレスクな風景のほうは、崖や曲がりくねる山道によって非対称さが強調され、木々や岩肌の凹凸によって起伏に富んでいます。

すでにお気づきの方も多いと思いますが、滑らかさと粗さという対は、バークが美しいものと崇高なものとして言及していた特徴です。ギルピンはバークが崇高について挙げた「粗さ」にとくに注目し、ピクチャレスクの中心的な特徴として転用したのです。その他にも、地面の起伏、動物の毛並み、人の肌、崖や岩など、ギルピンの記述にはバークを参照したことが明らかな箇所が見受けられます。この点で、ピクチャレスクは崇高から派生

図8　ピクチャレスクでない風景（上）とピクチャレスクな風景（下）の説明図（ウィリアム・ギルピン『三試論』1792 より）

した概念と言うこともできます。

なお「粗さ」を中心にしたギルピンの理論に対して、プライスはさらに細かく、「粗さ」と「突然の変化」と「不規則さ」によって高められる「多様性」と「複雑さ（錯綜性）」がピクチャレスクの特徴だとしました。

†構図による統一性

粗さのあるもので高められた多様性に対して、統一を与えるものが構図です。ありのままの自然はあまりにスケールが大きく、区画もありません。自然をピクチャレスクだと捉えるためには、人間が景色の一部を切りとって、ちょうどよいバランスを見つける必要があります。そこでギルピンはクロードやローザの風景画を手本に、ピクチャレスクな風景の基準となる構図を導きだしました。

図8でピクチャレスクとされた風景と、口絵9のローザの絵画を見比べてみてください。構図がよく似ていると思いませんか。ギルピンが旅行記に付した風景スケッチには、クロードやローザの作品に似たものが散見されることが指摘されています（もしかしたら先行研究があるかもしれませんが、このふたつの絵画の類似は私が偶然見つけたものです）。

ギルピンは絵画用語を使いつつ、理想的な構図とは「側景」（サイド・スクリーン）がモチーフで挟まれ、その間に広がる光景が「前景」と「中景」と「遠景」の3つに区別できるようになっているものだ、と定めます。両端にフレームがあって、奥行きがしっかりと感じられる構図ということです。

分かりやすいローザの作品のほうで見ましょう。左右両端には、木々や崖がそびえています。一番手前には人物像が描かれています（切り株に座っているのはアポロンで、その前に立つ女性は巫女です）。画面の右下から流れる川はその奥へと蛇行し、中央に広がります。その周りには崖や丘も見えます。そして一番奥には、空に溶け込むように山が霞《かす》んでいます。

側景にモチーフがあることで、ちょうど半円形に風景が広がることになります。このことをギルピンは円形劇場のような形とも表現します。

ピクチャレスクな風景を見るためには、自然がこうした構図になるような理想的な地点を探さなければなりません。そのために、遠景まで見渡すことができて、なおかつ前景も視界に入るような、適度な高台から景色を眺めることをギルピンは勧めます。

†1の答え合わせ

ここで冒頭の答え合わせをしましょう。

近代人にとってピクチャレスクな風景は、図3のほうです。

側景に木の枝、前景に土手、中景に川と廃墟があります。遠景はそれほど見晴らすことができませんが、小高い丘や林が続く様子が分かります。草木は手入れされているように見えるものの、それほど人工的な植栽や剪定《せんてい》はなく、種類も様々です。

ちなみにこの廃墟は、ウェールズ東部にあるティンターン修道院です。イングランドとの境界を流れるワイ川を挟んで、イングランド側から見た光景です。ギルピンはワイ川下りをした旅のなかで、ここをもっともピクチャレスクだと評価しました。ギルピンの影響で詩人のワーズワースや画家のターナーが訪れ、作品を残していることでも有名です。ギルピンが火付け役となって以降、現在でも人気の観光名所になっています。

図2は、17世紀に作られたオランダ最古の干拓地とされる、ベームスター干拓地にある並木道です。この風景はピクチャレスクの条件には当てはまりません。

ただし現代の写真共有アプリで映えるとされるのは、図2のほうではないでしょうか。私が目にする範囲でのことですが、同じようなモチーフを規則的に反復したデザインが好まれる傾向にあるからです。

もちろん、どちらが優れているかという話ではありません。「絵になる」という表現は現代の私たちもよく使いますが、この概念はここまでに紹介してきたような特定の文脈から生まれてきたもので、自然に対する新しい美意識を表す言葉だった、ということです。

4 ピクチャレスクの広がり（観光と庭園）

すでに触れたとおり、ピクチャレスクはギルピンがイギリス各地を旅するなかで確立していった概念です。また、ギルピンのあとはプライスやリチャード・ペイン・ナイト（1751〜1824）によって、ピクチャレスクは庭園論として発展しました。本節では、前半で観光旅行に、後半で庭園に目を向けることで、ピクチャレスクの多様な側面を見ていきたいと思います。

4-1　ピクチャレスク・ツアー

†国内旅行の流行と観光産業の成立

　ギルピンは夏の休暇ごとに、自然を観ることを目的に地方を訪れました。その風景にピクチャレスクという独特の魅力を見いだし、水彩絵具でスケッチを描いて楽しみました。こうした旅をギルピンは「ピクチャレスク・ツアー」と名づけます。彼が行ったのはまさに「絵になる風景を探す旅」だったのです。

　ギルピンの旅行記が出版されると、それをガイドブック代わりにピクチャレスク・ツアーをすることがイギリスでブームになりました。ギルピンが訪れた場所、とくにワイ川河畔や湖水地方などへ人々が押し寄せました。現在でも人気の観光地です。

　ちょうど時代は、特権階級だけでなく新興の市民階級も旅行をすることができるようになった頃でした。特権階級にとっても、ヨーロッパ大陸の情勢が不安定になったことで、国外への旅行が難しくなっていた時期です。国内の旅を楽しみながら感性を磨く方法を指南してくれるギルピンの著作は、そうした需要にもマッチしました。

ピクチャレスク・ツアーの流行に後押しされ、観光産業も成立することになります。ガイドブックが出版され、目的地へのアクセス方法や、風景をちょうどピクチャレスクに眺めることができる地点などが解説されました。さらにそうした地点の周辺には、宿屋やお土産物屋などが立ち並ぶようになりました。

ピクチャレスクは机上の空論ではなく、現実の社会も大きく動かした概念だったのです。

†風景のスケッチ

ピクチャレスク・ツアーをするときに、人々がよく携えていたものがふたつあります。ひとつはスケッチの道具（黒鉛や水彩絵具）です。

ギルピンにとっては、風景のスケッチを制作することが旅の仕上げでした。ただし、見えるとおりの景色を描いてその場で完成させるような、純粋な写生をしたわけではありません。

風景を目の前にして描くときは、あとから思い返すことができるように特徴さえ捉えていたら十分だ、とギルピンは言います。言葉によるメモを適宜用いることも勧めています。

人に見せるようなときは、あとから手を加えるのです。その際にはいっそうピクチャレスクな風景にするため、想像を交えることも彼は要求します。実際の景観にはあったものを取り除いたり、逆になかったものを描き加えたり、山や岩などの形状を変えたりするのがよい、というのがギルピンの見解です。

図9は、ギルピンがワイ川旅行の紀行文に掲載したティンターン修道院の風景画です。実際の立地からすると、このように見える場所はないと指摘されています。

図9　ウィリアム・ギルピン《ティンターン修道院》(『ワイ川観察紀行』1782 より)

もし図3の風景を絵にするとしたら、どのように改変できるでしょうか。ギルピンの理論に従うなら、前景にロバや村人や切り株を配置し、川をもっと蛇行させ、遠景が開けたように描く、というようなことが考えられます。

彩色についても細かく解説されます。ギルピンによると、まず画面全体に一色を薄く塗り広げます。たとえば朝なら薔薇色、夕方ならもっと赤みを帯びた色などです。

他にも黄味を帯びた色や、灰色がかった色が挙げられます。

こうすることで画面に調和が生まれるからです。風景を絵画にするときは、色彩によっても全体の統一性を生みだすことができるのです。このような色調の統一に関しても、クロードやローザの風景画が理想のイメージになっています。

とはいえ現実では、一色に柔らかく染めあげられたような光景にちょうど旅先で出会うのは難しいでしょう。そこで役立つのが「クロード・グラス」と呼ばれる道具です。

†クロード・グラス

ピクチャレスク・ツアーのもうひとつの携行品が、クロード・グラスです。名前のとおり、クロードの風景画のように景色を見ることができる道具です。これには2種類ありました。

ひとつはガラス型です(図10)。ケース一体式のルーペのようなかたちで、数枚の円形のガラスが組み合わされています。ガラスは赤、黄、青などにそれぞれ着色されています。このガラスの1枚を使って、または数枚を重ねて景色を覗くと、風景が好みの色調に色づけされて見える仕組みです。サングラスのように、強すぎる光を穏やかに和らげる効果も

図11　鏡型のクロード・グラス

図10　ガラス型のクロード・グラス
©Science Museum Group

あります。

もうひとつは鏡型です（図11）。折りたたみ式の手鏡で、蓋を開けると一方の面が鏡、もう一方は保護布になっています。この鏡は黒色の凸面鏡になっていることが特徴です。黒い鏡に風景を映しだすと、全体が暗く落ち着いた色調になります。さらに凸面鏡なので、広い範囲の景色を映しだします。肉眼では一度に捉えきれない多様な自然を、1枚の鏡に収める効果があります。

ピクチャレスクな風景を求めて旅した人々の多くは、こうしたガラスや鏡を介して自然を眺めていたのです。

ギルピンは、クロード・グラスを使うと遠近感がなく書き割りのように見えてしまうと指摘しつつも、便利な道具として紹介しています。ギルピンが自著に載せたスケッチの多くは円形をしているのですが、これはクロード・グラスを利用して描かれたからではないかとも言われています。

クロード・グラスについては、次のようなエピソードも残っています。詩人のトマス・グレイは、鏡型のクロード・グラスに熱中していました。湖水地方を旅行中のある日、彼は小道で仰向けに転んでしまいます。しかし手にしていたクロード・グラスには、日没の景色が映っていました。そこで彼は仰向けのまま、その壮観を眺めたそうです。

†ピクチャレスクな人

ピクチャレスク・ツアーの流行でやや表層的なものになった側面もあるとはいえ、ピクチャレスクな風景とは本来、それぞれの人が自然のなかに見つけだすものです。そのような風景がもともと存在していて、誰が見てもピクチャレスクだと気づく、というものではありません。

伝統的な美の概念に当てはまらないピクチャレスクはむしろ、風景画家が描くまでほとんどの人が見向きもしなかった性質でした。プライスは次のように述べています。ピクチャレスクなものは本来なら醜いものである。しかし最初に「画家の眼」によってその魅力

「画家の眼」で ピクチャレスクな風景を見つける

が発見された。そして風景画に描かれるようになったことで、人々も魅力に気づくようになった、と。

　ギルピンも、美しいものは「自然の状態で目を楽しませる」のに対して、ピクチャレスクなものは「絵画に描かれることができるような何らかの性質によって目を楽しませる」と定義しています。現実に見て心地よいのは、粗さではなく滑らかさを特徴とするものです。ピクチャレスクなものとは、風景画に描かれることで（あるいは風景画に描かれたならと想像することで）初めてよさが感じられるようになるものだ、ということです。

　したがってピクチャレスクな風景を見つけることができるようになるには、画家のような感性をもって自然に向き合うことが必要になります。

　そのためピクチャレスクという用語は、自然を見る人に対しても使われます。ギルピンはピクチャレスクな風景を探して旅する人を「ピクチャレスクな旅行者」と呼びます。またピクチャレスクな風景を見つけることができる人を「ピクチャレスクな眼（を持った人）」と表現します。この用法では、ピクチャレスクは「画家のような（感性を持った）」といったふうに訳せるでしょう。

ピクチャレスクの主観性をとくに強調したのが、プライスの友人でもあったナイトでした（『風景』1794、『趣味の原理に関する分析的研究』1805）。

ギルピンやプライスの著作では、ピクチャレスクなものの説明に力点が置かれ、ピクチャレスクはものの側にある性質のようにも読めます。それに対してナイトは、ピクチャレスクは風景を眺める人のなかに喚起されるものである、と主張しました。もちろんこれは当時の主観主義美学から影響を受けたものです。

しかしナイトはそこからエリート主義に傾きます。農村の人々は教養がないので目の前の自然がピクチャレスクだと気づかない、などと彼は言います。自然に対してピクチャレスクを真に感じることができるのは、クロードやローザなどの風景画についての素養がある人々だけだ、ということになります。

ナイトのような立場からすると、ピクチャレスクはそれぞれの人が感じる主観的なものとはいえ、教養を前提にしているという点で、誰にでも開かれたものではありませんでした。ここはピクチャレスク理論のひとつの限界と言えるかもしれません。

4－2　風景式庭園への適用

現在では、イギリスはガーデニングの本場として知られています。もとを辿れば、それは18世紀前半に新しいスタイルの庭園が登場し、イギリスが造園の理論と実践を牽引するようになったことがきっかけでした。「庭園革命」とも呼ばれるその変化は、世紀の後半にピクチャレスクの概念が発展する触媒にもなりました。

†庭園革命

庭園革命とは「整形式庭園（フォーマル・ガーデン）」から「風景式庭園（ランドスケープ・ガーデン）」への転換のことを言います。それぞれの特徴を簡単にまとめておきましょう。

整形式庭園とは、幾何学的に整形され、塀によって周囲から閉ざされた庭園のことを言います。17世紀のフランスで確立された「フランス式庭園」がその代表なので、整形式庭園をフランス式庭園と呼ぶこともあります。

図12　ベルサイユ庭園の果樹園(アンドレ・ル・ノートル設計)

代表的なものはベルサイユ庭園です(図12)。

鳥の目線から眺めると、中央にまっすぐ大通りが延び、左右対称になっていることがよく分かります。池は正円で、湖は楕円と四角を組み合わせた形をしています。土地や芝生は平坦に整えられており、手の込んだ刈り込み模様も印象的です。

また、どこまでが庭園でどこからがその外部か、境界がはっきりしています。これはヨーロッパの伝統的な庭園全般に見られる特徴です。

「ガーデン」という言葉はそもそも「囲まれた空間」を意味する語（古ペルシャ

図13　スタウアヘッド庭園（ヘンリー・ホーア２世設計）　©alamy

語の「パイリダエーザ」）に由来します。庭園とは周囲から断絶した空間を意味していたのです。

整形式庭園のスタイルが確立された次の世紀、これに真っ向から対抗するスタイルの庭園が誕生しました。それが風景式庭園で、「イギリス式庭園」とも呼ばれます。非幾何学的で、周囲の自然との境界が一見すると分からない庭園のことを指します。

例として、イギリス南部にあるスタウアヘッド庭園（図13）を見てみましょう。ベルサイユ庭園との違いは明らかです。

空から眺めたこの写真では、庭園なのか自然の森なのか、見分けがつかないのではないでしょうか。大通りや花壇はありません。土地には起伏があり、遊歩道は蛇行しています。湖の形も幾何学的ではありません（ただしこの土地にもともとあった自然をそのまま利用しているわけではなく、湖の形なども人工的に作られたものではあります）。

庭園の区画がはっきりしないのは、「ハーハー（隠れ垣、沈み柵）」というものによります。地面の上に柵で囲いを建てるのではなく、なだらかな溝を掘って区画を示す技術です。壁と違って視界を遮らないため、境界がどこにあるのか、近くへ歩いて行くまで分からない仕組みになっています。

†風景式庭園とピクチャレスク

自然の不規則さを矯正せず、それを風景として楽しむ風景式庭園の理念は、まさにピクチャレスクの概念と共鳴するものです。

それだけでなく、イタリアの風景画を理想のイメージにしているという点でも、風景式庭園とピクチャレスクは共通しています。

風景式庭園の発展を担ったのは、地方の貴族や地主（ジェントルマン）です。つまりグランド・ツアーの経験があり、クロードやローザなどの風景画に夢中になった人々でした。

図14　スタウアヘッド庭園、十字架塔から湖を望む景色

彼らは自分の領地に「クロードの風景画のような庭園を作りたい」と考えたのです。

先ほど例に出したスタウアヘッド庭園は、クロードの《デロス島のアイネイアスのいる風景》（口絵8）からインスピレーションを受けて作られています。庭園の入り口から眺める景色（図14）をこの絵画と比べてみれば、橋や古代風の遺跡などが再現されていることが見てとれます。

風景式庭園という自国の新しい庭園が身の回りにあったことは、ギルピンがピクチャレスクの理論を発展させることに影響を与えたことでしょう（ちなみに、ギルピンへ影響を与えたバークも風景式庭園に言及しています。彼はフランスの整形式庭園に対して否定的な意見

図15　ブラウン流の庭園（左）とピクチャレスクな庭園（右）の比較イメージ（リチャード・ペイン・ナイト『風景』1794より）

を述べつつ、「私たちの庭園」はプロポーション理論が美の基準でないとイギリス人が気づき始めている証拠だ、と言います）。

実際、ピクチャレスク・ツアーでは自然の景色だけでなく、風景式庭園も観光スポットに含まれました。庭園はピクチャレスクな風景の典型を見せてくれるものだったのです。

ただし、すべての風景式庭園がピクチャレスクだと考えられたわけではありません。ピクチャレスクの概念は、風景式庭園の造園師ランスロット・ブラウン（通称ケイパビリティ・ブラウン、1715／16〜83）に対する反発として発展した側面があるのです。

ブラウンはイギリス国内の整形式庭園を風景式庭園へと大量に作り替えていった、当時から著名な造園師です。ブラウンが手がける庭園は、なだらかな芝生が広がり、木々や建物などが点在するように配置されたものでした。

これに対して、プライスやナイトはあからさまに非難の言葉を向けます。彼らにとってブラウンやその後継者の庭園はあまりに単調で、もっと変化や多様性に満ちた庭園が望ましいとされました（図15）。

教師であったギルピンと異なり、プライスとナイトは地主階級です。彼らにとってピクチャレスクは、まずもって自分の地所をよりよくするための理論でした。プライスがピクチャレスクの特徴として「突然の変化」を挙げたのは、庭園を散策するなかで景色が刻々と移り変わる様子を念頭に置いたものです。

ギルピンにおけるピクチャレスクの概念は、特定の場所から景観を眺めてスケッチするという、視覚的で静的な特徴を持ったものでした。それに対してプライスやナイトにおいては、自然のなかを遊歩する身体的で動的な側面が強調されるようになった、と見ることもできるでしょう。

5　美や芸術は自然とどのように関わることができるか？

†風景の形式化と理想化

ギルピンが唱導したピクチャレスクの理論は、まもなく時代遅れになってしまいます。19世紀初頭には、ギルピンを揶揄した風刺物語が人気を博し、彼は時代錯誤で現実が見えていないドン・キホーテに重ねられるほどでした（ウィリアム・クーム『シンタックス博士の旅』全3巻、1809〜21、図16）。

なぜピクチャレスクは早くも廃《すた》れてしまったのでしょうか。ピクチャレスクな旅行者の多くは、ありのままの自然に向き合っていたとは言いがたく、むしろ自分が見たい風景を見ていたからです。

図16　トマス・ローランドソン《湖をスケッチするシンタックス博士》（ウィリアム・クーム『シンタックス博士の旅』第5版、1813より）

ギルピンは理想とする風景の構図やモチーフや色彩を、風景画から引きだして定式化しました。そのテンプレートに自然のほうを合わせるため、人々はクロード・グラスのような道具も活用しました。

ピクチャレスク・ツアーには、あらかじめ定められた型に合うような景色を探す旅になってしまったという側面があります。風景を枠に当てはめるという意味で、ギルピンは形式主義と評価されています（ただし後年になると、ギルピンも枠組みより目の前にある自然の姿を観察しようと努める姿勢を見せます）。

現実の風景が理想にぴったり当てはまることは多くありません。そのときにギルピンは躊躇《ちゅうちょ》なくスケッチを改変し、実際にはない風景を描きました。風景を形式化し理想化する、こうした態度が批判されたのです。

18世紀末から隆盛したロマン主義では、個々人の自由な感じ方がいっそう重視されます。一定の型に沿って自然を眺めるなど、ロマン主義にとってはナンセンスです。また風景画においては、現実の景色をありのままに描こうとする気運が19世紀中頃から高まりました(写実主義や自然主義と呼ばれます)。こうした流れのなかで、ピクチャレスクの理論が勢いを保つのは難しかったようです。

では、この批判を現代の私たちはどのように受け止めるのがよいでしょうか。

†自然鑑賞の普及

ピクチャレスク・ツアーに出かけた人々の行動には、たしかに形式的で軽薄な面もありました。人気の観光地へ行き、ガイドブックが勧めるとおりの場所とアングルから、クロード・グラスを使って話題の「ピクチャレスクな」景色を眺める。なんだか現代人と通じるものを感じませんか。

現代では、旅行をするときにガイドブックやインターネットの情報をあらかじめ参考にする人が大半だと思います。そうして観光地でお決まりの「絵になる」写真を撮って、それで満足してしまう、ということもあるかもしれません。近年の写真共有アプリの普及で、多くの人が同じ場所で似たような写真を撮る傾向はさらに強まりました。

それで自分自身の感性を働かせていると言えるか、旅先の土地を見ていると言えるか、疑問に思われる部分もあるでしょう。

しかしながら、大衆化は民主化とも言えます。ギルピンが風景を型にはめ、自然観光のパターンを作ったことで、人々のあいだに自然鑑賞が広まったのです。ギルピンやプライスが言っていたように、自然の風景がもつ魅力は、風景画が登場するまでほとんどの人が見過ごしていたものです。ギルピンはそれをピクチャレスクという概念で理論にするだけでなく、実際に楽しむ方法を幅広い層の人々へ浸透させました。これは意義のあることではないでしょうか。

現代の写真共有アプリで見られる現象も、こうした点ではポジティヴな意味があると私は思います。誰かの写真を見て「素敵だ、真似したい」と感じることは、今まで気づいていなかった場所やもの、あるいは写真の撮り方がもつ魅力を、新しく知ったということです。少しでも多くのものによさを感じることができるほうが、そうでないよりも毎日が楽しくなるでしょう。

自然を理想化するピクチャレスク・ツアーの態度には、倫理的にも問題がなかったわけではありません。

†自然を美しいものとして眺めること

何かにカメラを向けるとき、少し後ろめたい気持ちになる、という方もいらっしゃると思います。これはなぜでしょうか。カメラ越しにものを見るとき、「見る／見られる」という一方向的な関係が露《あら》わになるからです。見る人は目の前の光景の当事者ではなくなり、その光景を写真として所有する立場に身を置くことになります。

同じように、クロード・グラス越しに風景を眺めるとき、旅行者にとって自然は鑑賞の対象以上ではありません。その土地に関する現実的な問題は、少なくとも関心の中心にはなかったはずです。

鏡型のクロード・グラスを使うときが象徴的です。手に持った鏡に風景を映して眺めるためには、その風景に背を向けなければなりません。ちょうど現代の私たちがセルフィーをするときと同じ格好です（クロード・グラスにも、角度によっては自分の顔が映り込んでいたことでしょう）。背を向けても問題と思われなかったということは、自然は手のなかの鏡に収めて楽しむだけの存在、所有物のような存在だったということです。

たとえクロード・グラスを使わなかったとしても、そもそも風景画を理想にして「絵のようだ」と風景を鑑賞するという点で、ピクチャレスクな風景を求める人は自然を一方的に「見る」側に立っています。図16でも、視覚をつうじてばかり自然と関わるギルピンが風刺されています。

実際にギルピンの旅行記では、産業革命による環境破壊や、その土地の歴史や貧困などについて考慮している様子が見られないことが指摘されています。さらにはピクチャレスク・ツアーの流行によって、地方の自然景観や人々の生活が乱される事態も起きていました。これらの問題を度外視して、自然の外見だけを見て「ピクチャレスクだ」と悦に入るような態度は、あまりに能天気と非難されても仕方ないでしょう。

ピクチャレスクにはこうした倫理的な問題があった、というのが現在の評価です。世界規模での環境問題に直面している現代、私たちは自然をたんに「絵になる風景だ」と眺めるだけで済ませることはできません。

この点について、私が美学の観点から思うことも付け加えておきたいと思います。

何かに「ああ、美しい」と心動かされて、それをただ眺めている。その瞬間、たしかに人は現実的な問題から心が切り離されています。なぜかというと、人間関係の悩みや社会問題などが頭のなかを占めていては、目の前の光景を美しいと感じる余裕は生まれないからです。

こうした現実に対する心理的な距離のことを、美学用語で「美的距離」と言います。バークやカントが、崇高を感じるためには安全の確保が必要であると述べていたのも、そうしなければ美的距離が生まれないからです。また、日常から離れることのできる美術館やコンサートホールには、美的距離を生みだす効果があります。

つまりピクチャレスク・ツアーでのギルピンが現実に無関心な様子であるのは、自然をピクチャレスクなものとして見るためには必要な手続きだったと言えます。

また、見た目の美しさに惹かれることが出発点になって、そのものについてもっと知りたいと思うものです。ピクチャレスク・ツアーの流行は、近代の人々が身近な自然風景へ目を向けるきっかけになりました。花壇に植えられるような草花ではない、苔や雑草がもつ魅力に気づかせました。このことがまわりまわって、現代の自然保護の原点になったと

現実との心理的な距離がないと鑑賞はできない

も言われています。

環境問題との関連においても、ピクチャレスクを近代の遺物とみなしてしまうのではなく、それが残した意義と課題を受け継いでいくのがよいのではないでしょうか。

芸術をとおして自然と向き合う

ピクチャレスクという概念は風景画に影響を受けて成立し、造園の理論として発展しました。そして画家の眼を持った人こそ、ピクチャレスクな風景に気づくことができると考えられたのでした。

つまりピクチャレスクとは、芸術作品をつうじて自然に接すること、あるいは芸術家のような感性でもって自然に向き合うことを目指した概念です。自然を「絵になる」と眺めてばかりはいられない現代でも、この姿勢そのものは有効ではないかと思います。

ピクチャレスクを創作活動へとりいれた現代芸術家に、アメリカのロバート・スミッソンがいます。1960〜70年代のアメリカで登場した「アースワーク」または「ランドアート」という芸術を実践した芸術家です。アースワークとは、湖や砂漠などの広大な自然に直接作られた芸術作品を指します。素材にもしばしば自然物が用いられます。

図17　ロバート・スミッソン《スパイラル・ジェティ》1970、ディア芸術財団

図17はスミッソンの代表作《スパイラル・ジェティ》です。これはアメリカのグレート・ソルト湖の岸辺に作られた螺旋状の堤防です。この湖から採掘した玄武岩や土砂が6000トン以上も使われました。

イギリス人を祖先に持つスミッソンは、イギリスに特別な感情を抱いていました。そして《スパイラル・ジェティ》を発表する前年にこの国を訪れ、ギルピンやプライスへ深い共感を覚えます。

スミッソンの思想は、美術雑誌に寄稿されたエッセイから窺い知ることができます（「フレデリック・ロー・オルムステッドと弁証法的風景」1973）。彼の考えでは、ピクチャレスクは決して形式主義ではありません。プライスが「偶然と放置」が重要だと強調していたように、長い時間をかけて景観を無秩序へと変えてゆく、自然の力へと目を向けるものです。一方的に風景を眺めるのではなく、自然を様々な関係のなかで捉え、その場所と対話しようとするものです。

スミッソンのアースワークには他にもいくつかの意味を読みとることができますが、こうした自然との対話を実践することが主要な目的のひとつだったと考えられます。《スパイラル・ジェティ》は完成から2年後、湖の水位が上昇して水没してしまいます。30年後の2002年に干魃《かんばつ》で再び顔を出しましたが、螺旋は当然ながら浸食が進んでいます。そのように自然に還《かえ》っていく姿こそ、スミッソンの作品本体だと言えるでしょう。

残念ながら、私はこの作品を映像でしか見たことがありません。それでもスミッソンのアースワークに接することで、彼が試みた風景との対話というものを何となく感じることができる気がします。自然というものへ思いを馳せるようになります。彼の作品を介さずに自然に触れただけでは、少なくとも同じ経験はできないはずです。

アースワークは大規模な土木工事が必要なため、環境破壊ではないかという非難の声もあります。たしかに自然へ人間の手を加える以上は、そういった側面もあるかもしれません。しかしこうした芸術作品は、芸術家のような感性をもって自然に向き合うことを私たちに教えてくれます。

芸術には、人々の世界の感じ方を変える力があります。だからこそ自然との関わりにおいても、芸術が担いうる役割は小さくないのではないでしょうか。

おわりに

本書では、芸術、芸術家、美、崇高、ピクチャレスクという5つのテーマに沿って近代美学について紹介してきました。改めて内容を振り返っておきましょう。

古代から中世まで、「アート」という言葉は「技術」を意味しており、画家や彫刻家などは職人とみなされていました。ところが近代になると、「アート」が「芸術」を意味するようになり、同時に「芸術家」という言葉も生まれます。

それにともなって、芸術とは職人仕事とは違って作者の内面を表現したものであり、芸術家とは独創的な世界を創造する天才である、という考えが広まりました。そうして芸術家は神に比する存在にまで祭り上げられていきます。

芸術の概念が誕生したときに、芸術を他の技術から区別する特徴として考えられたのが「美」です。

美の概念についても、同じ頃に転換が起こりました。美しいものとは均整のとれたものであり、よって美はものがもつ性質であるという思想が支配的だったところ、美はそれを感じる人の心のなかにあるという思想が優勢になったのです。このことは美が道徳や有用性などから独立した、自律した価値とみなされるようになることを促しました。

美が主観的なものと考えられるようになるにしたがって、それまでの美の概念には当てはまらなかった不規則で無秩序なものに対して、独特の魅力が見いだされるようになります。とくに自然の景色が人々の心を惹きつけました。

なかでも、大自然が引き起こす恐怖と混じり合った高揚感は「崇高」と呼ばれるようになりました。さらに、崇高な自然ほど巨大ではない自然に対しては「ピクチャレスク」という概念が生まれました。これはちょうど17世紀イタリアの風景画のような情緒のある風景のことを指します。

こうして「美、崇高、ピクチャレスク」という3つが並び称されるようになり、近代の美意識として成立しました。

このように美学の変遷を眺めたことで、芸術、芸術家、美、崇高、ピクチャレスクという5つの概念自体が、近代を象徴するものであると実感していただけたのではないかと思います。

「はじめに」でも記したように、本書の目的は西洋近代美学を紹介することで、それを相対化することにあります。美やオリジナリティを目指す「芸術」や、神のごとき独創的な天才としての「芸術家」、あるいは主観的で自律した概念としての「美」といった考え方は、近代ヨーロッパに特有のものです。崇高やピクチャレスクについても、近代ヨーロッパの自然観が反映されたものです。決していつの時代のどの地域の文化にも当てはまるものではありません。

その問題や現代にまでつながる展開などは、各章の最終節で述べたとおりです。ここでは、本文中で言及できなかった点について付記しておきたいと思います。

近代美学を再検討することの重要性は、近年ジェンダー研究からも指摘されています。たとえば、芸術が天才による創造だとみなされるようになったことは、芸術から女性を締め出すことを助長しました。「女に天才はいない」と語られてきたのです。また、しばしば美は女性的で崇高は男性的だと考えられ、それゆえ崇高の称揚は男性性の礼賛へと結びついていました。

こうした例からも、近代美学を相対化して吟味することは、その延長線上にいる現在の私たち自身を顧みることでもあると分かります。

一定の切り口から、しかも手短に紹介するために、当然ながら本書では網羅性を犠牲にせざるをえませんでした。すでに美学・芸術学や哲学に詳しい読者の方なら、「あの人物やあのトピックに触れていないなんて」と思われる箇所が多々あったかと思います。しかし言及していないからといって、その人物やトピックを私が重要でないと考えているわけではありません。ストーリーができるかぎり散漫になったり無味乾燥になったりしないことを優先した結果ですので、ご寛恕《かんじょ》を請う次第です。

本書の欠を補ってくれるような良書はたくさんありますので、本書がきっかけとなってさらに他の書籍へと手を広げていただければ嬉しく思います。巻末に付した読書案内をその際のご参考にしていただければ幸いです。

あとがき

本書は、NPO法人国立《くにたち》人文研究所が運営する市民講座「KUNILABO人文学講座」として2021年に開講した「近代美学入門」（全4回）をもとに執筆したものです。ただし講座では話しきれなかった内容を加えたり、構成を大幅に改変したりしました。第3章は書き下ろしです。

国立人文研究所代表の大河内泰樹先生、理事の河野真太郎先生、事務スタッフの堀田真弓さんと守博紀さんに、この場を借りて改めてお礼申し上げます。大河内先生には、録画データを本書のために利用することを快諾いただきました。聴講くださった方々の質問も示唆的なものが多く、書籍化にあたって本文に取り入れたものが少なくありません。

また本書を執筆するあいだ、草稿を検討する会合を開きました。ご参加いただいたのは、青田麻未さん、浅野雄大さん、網谷壮介さん、上野大樹さん、菊池遼さん、小谷英生さん、酒井泰斗さん、gnckさん、アダム・タカハシさん、村山正碩さん、吉川浩満さんです（50音順。ご都合があわずメールでコメントをお送りいただいた方も含みます）。ご多忙中にもかかわらず何度もお集まりいただき、忌憚《きたん》のないご意見を賜りましたこと、心よりお礼申し上げます。

高木駿さん、征矢法子さん、松永伸司さんは、文献の調達にご協力くださいました。神地伸充さんには関連文献についてお尋ねしたところ、詳しくご教示いただきました。資料へのアクセスに不便な環境にいる筆者にとって、これらの方々なしに本書を完成することはできませんでした。

西洋古典学がご専門の渡辺浩司先生には、厚かましくも送付した草稿に対して丁寧なお返事を頂戴しました。ご指摘いただいた点すべてにお応えすることは叶いませんでしたが、この1冊を世に出したあとも、自分が語った美学史を吟味し続けようと思った次第です。

筑摩書房の柴山浩紀さんから、前著に対する心のこもった感想とともに、講座をもとにした新書を出版しないかというご提案のメールが届いたとき、私は産後で入院中でした。極めて私的な話で恐縮ですが、初めての出産と育児に心身ともに追いつかず、仕事も失い、美学に携わってきたこれまでの自分はどこか別の世界に消えてしまったかのように感じていた折です。思いがけない便りに、生き返ったような心地がしたことを覚えています。

原稿にとりかかったのは海外へ転居したあとで、何かと落ち着かない生活のなか思うように筆が進みませんでした。それにもかかわらず本書を仕上げることができたのは、柴山さんに最初から最後まで全面的かつ細やかに支えていただいたおかげです。とくに録画データの文字起こしという面倒な作業を担ってくださり、同時に内容について様々なアドバイスを頂いたことは、執筆にあたって大きな助けとなりました。本当にありがとうございました。

夜泣きと夜泣きの合間に書き綴ってきた原稿も、ようやくひとつの書物になりました。家族をはじめ執筆を見守ってくれた方々にも、ここに感謝の気持ちを記しておきたいと思います。この小著がひとりでも多くの読者に届き、美学や思想史の面白さを感じるきっかけになれば幸甚です。

2023年　7月　モスクワ、白樺のざわめくオクチャブリスカヤにて

読書案内

美学についてもっと学びたい方のために、小さなリストを作成しました。各項目のなかで、全般的に論じているものから各論的なものへという順におおよそ並べています。残念ながら3～4は品切れになっているものが多いのですが、図書館や古書販売などで入手できるかと思います。

1 新書

・佐々木健一『美学への招待 増補版』中公新書、2019
美学の入門書と言えば、この1冊。国際美学連盟会長などを歴任した著者が、センス、コピー、スポーツなど身近な事柄を美学的に掘り下げる。最近の研究動向を踏まえた展望も語られており、幅広い人におすすめ。

・カロル・タロン＝ユゴン『美学への手引き』上村博訳、文庫クセジュ、2015
古代～現代の西洋美学史がコンパクトにまとめられた、教科書的な入門書。美学史の基礎知識を身につけたい方の、最初の1冊に。

・今道友信『美について』講談社現代新書、1973
美について、著者独自の思索を深めた著作。読み手は選ぶものの、長く読み継がれているだけあって、ひとつひとつの言葉に刺激を受ける人は少なくないはず。

・津上英輔『危険な「美学」』インターナショナル新書、2019
文芸や映画などを例に、人を幻惑させる美の危険性を指摘する著作。具体的かつ明快な論述で、前提知識がなくても読みやすい。美の政治性（本書第3章の5）について興味のある方に。

・佐々木健一『タイトルの魔力——作品・人名・商品のなまえ学』中公新書、2001
芸術作品のタイトルについて、人名や商品名にも目配りしながら哲学的に論じた、ユニークな著作。本書第2章で扱った作品と作者の関係からさらに、作品とタイトルの関係について考えてみたい方に。

・源河亨『「美味しい」とは何か——食からひもとく美学入門』中公新書、2022
美味しいと感じるのはどういうことか、生理学などの知見も参照しながら分析した著作。「料理は芸術か」という問い（本書第1章の1と5）や、味覚の性質（本書第3章の4

1）について、さらに考えてみたい方に。

2　美学全般

・竹内敏雄編『美学事典　増補版』弘文堂、1974
美学だけでなく、文芸学、演劇学、映画学、芸術教育についても個別に扱っている、総合的な事典。出版から年月が経っているものの、古代〜近代の西洋美学史の部分については今でもこれが決定版。

・美学会編『美学の事典』丸善出版、2020
東アジアの美学やポピュラーカルチャーなど、地域もジャンルも多様なトピックを収めた事典。最新の美学の様子を知ることができる。中項目主義による編纂で、読む事典としても楽しめる。付録には研究のヒントも掲載。

・佐々木健一『美学辞典』東京大学出版会、1995
もとは教科書として構想された辞典。美や芸術など25の概念について、定義、学説史、著者の見解、という3つのパートから整理される。本書の第1〜3章に関連するトピックも多い。美学を本格的に学びたい方は必携。

・津上英輔『美学の練習』春秋社、2023
著者が大学で長年行なってきた美学概論をもとにした概説書。美と芸術について、学説の紹介よりも、著者自身の思考を示すことに力点が置かれる。美学的に考える訓練をすることができ、入門書としておすすめ。
・ロバート・ステッカー『分析美学入門』森功次訳、勁草書房、2013
現代おもに英語圏で発展している美学についての入門書。本書がカバーできていない領域なので、美学に興味を持った方にぜひおすすめしたい。芸術の定義、解釈と意図、自然の美など、本書と関連するテーマも多い。
・西村清和『現代アートの哲学』産業図書、1995
「哲学教科書シリーズ」のひとつで、各章末に練習問題が付されている。芸術作品から引きだされる哲学的な問題について、様々な学説を援用しながら筋道立てて論じることができるようになりたい、という方に。

3　西洋美学史

・今道友信編『講座　美学1　美学の歴史』東京大学出版会、1984

全5巻の「講座美学」シリーズの第1巻。西洋美学史だけでなく、東洋（日中韓とイスラーム）についても紙幅が割かれる。やや難解ではあるものの、美学史をしっかり学びたい方にはおすすめ。

・当津武彦編『美の変貌――西洋美学史への展望』世界思想社、1988
右の『講座　美学1』より網羅的ではないものの、そのぶん個々の学説の紹介が詳しい。2冊を併せて読むと、西洋美学史の全体像が把握できる。巻末には美学の古典40冊の解題が付されており、非常に有益。

・小田部胤久『西洋美学史』東京大学出版会、2009
古代〜現代の思想家を各章にひとりとりあげて検討しつつ、関連する他の思想家も縦横無尽に論じていく。美学史を本格的に学びたい方は必読。概説ではないので、先に他の本で通史を学んでから読むのがおすすめ。

・小田部胤久『美学』東京大学出版会、2020
カント『判断力批判』の綿密な読解を軸に、トピックごとにカント以前とカント以後の美学史も辿った大著。『判断力批判』についてしっかり学びたい方はもちろん、西洋美学史について理解を深めたい方にも最適。

・ウンベルト・エーコ『美の歴史』植松靖夫監訳、川野美也子訳、東洋書林、2005
小説家としても著名な美学の泰斗が、古代〜現代の美に関する西洋思想をまとめあげた名著。図版と原典の引用が充実しているので、何気なくページをめくるだけでも楽しく、調べものにも役立つ。『醜の歴史』もあり。

・今道友信編『西洋美学のエッセンス——西洋美学理論の歴史と展開』ぺりかん社、1987
プラトンやカントなど、代表的な思想家21人が各章にひとりずつ紹介される。特定の思想家について詳しく知りたいときに便利。

・加藤哲弘編『芸術理論古典文献アンソロジー　西洋篇』京都造形芸術大学東北芸術工科大学出版局藝術学舎、2014
芸術に関する48の基礎文献について、思想家の紹介、解題、原典の引用（日本語訳）、語釈によって解説される。概説書ではあまり紹介されない文献もあって重宝する。一次文献に触れてみたいという方の手引きに。

4　西洋近代美学

・小田部胤久『芸術の逆説――近代美学の成立』東京大学出版会、2001
創造、独創性、芸術家、芸術作品、形式という5つの章によって、18世紀初頭〜19世紀初頭の芸術理論をそれ以前の芸術観との比較によって描きだす研究書。本書第1〜2章のテーマについて専門的に学びたい方に。

・佐々木健一『フランスを中心とする18世紀美学史の研究――ウァトーからモーツァルトへ』岩波書店、1999
博士論文をもとにした研究書。美における関心の問題（本書第5章の5、第3章のカントの議論も関連）、作者の誕生（第2章の3－1）、廃墟（第3章の5、第4〜5章）などについて、専門的に学び考えたい方に。

・濱下昌宏『18世紀イギリス美学史研究』多賀出版、1993
近代イギリスの代表的な美学者（アディソン、シャフツベリ、ジェラードなど）をとりあげ、その思想を考察した研究書。とくに天才（本書第2章）や趣味（第3章の4－2）について詳しく知りたい方に。

・相澤照明『共感・ピクチャレスク・ポイエーシス――18世紀イギリス美学の諸相』鳥影社、2020
共感、ピクチャレスク、ポイエーシスという3つのテーマから、近代イギリス美学に迫る研究書。ヒュームの美学（本書第3章の4－1）、ピクチャレスク（第5章）、天才（第2章）に興味のある方に。

5 本書の各テーマに関連する本

・ナタリー・エニック『芸術家の誕生――フランス古典主義時代の画家と社会』佐野泰雄訳、岩波書店、2010
職人から天才としての芸術家への変遷を、芸術社会学の観点から詳細に跡づけた研究書。とくに美術アカデミーの設置や徒弟修業など、画家をとりまく社会状況（本書第1章の4－1、第2章の3）に興味のある方に。
・高木駿『カント『判断力批判』入門――美しさとジェンダー』よはく舎、2023
『判断力批判』の要である美の分析（本書第3章の4－1）を、平易な文体で解説する入門書。ジェンダー研究から批判的な考察も加える。カント美学を学びたいときの最初の

1冊にも、カントを再考したい方にも。

・桑島秀樹『崇高の美学』講談社選書メチエ、2008

バークとカントを中心に崇高の歴史を整理し、その乗り越えとして、大地や山岳の美学、原爆とテクノロジーについて論じる。崇高について体系的に学びたい方や、技術的崇高(本書第4章の5)について考えたい方に。

・星野太『崇高の修辞学』月曜社、2017

自然の崇高の背後にある修辞学的崇高に光を当て、古代〜現代までの系譜を描きだす。博士論文をもとにした研究書ではあるものの、明晰な文章で読みやすい。崇高という概念の豊かな側面や最新の研究を知りたい方に。

・今村隆男『ピクチャレスクとイギリス近代』音羽書房鶴見書店、2021

近代イギリスのピクチャレスクについての包括的かつ詳細な研究書。本書でも触れた観光と庭園のほか、建築との関係についても、近年の研究動向を踏まえながら詳しく検討される。主要文献の解題としても有益。

＊

本書で紹介した近代における美学思想の転換は、当時を生きた人々に意識されて語り継がれてきたものというより、20世紀になってから慧眼な研究者によって描きだされたものです。参考までに、それぞれの古典的な研究を記しておきます。

第1章

Kristeller, Paul Oskar. 1951. "The Modern System of the Arts: A Study in the History of Aesthetics (I)." *Journal of the History of Ideas* 12（4）: 496–527.

——. 1952. "The Modern System of the Arts: A Study in the History of Aesthetics (II)." *Journal of the History of Ideas* 13（1）: 17–46.

第2章

Abrams, Meyer Howard. 1953. *The Mirror and the Lamp: Romantic Theory and the Critical Tradition.* Oxford/ New York/ London: Oxford University Press.
（M・H・エイブラムズ『鏡とランプ——ロマン主義理論と批評の伝統』水之江有一訳、研究社出版、１９７６）

第3章

Tatarkiewicz, Władysław. 1963. "Objectivity and Subjectivity in the History of Aesthetics." *Philosophy and Phenomenological Research* 24 (2): 157-173.
（以下の書籍に再録。Tatarkiewicz, Władysław. 1980. "Beauty: The Dispute between Objectivism and Subjectivism." In: *A History of Six Ideas: An Essay in Aesthetics*. The Hague: Nijhoff, pp. 199-219. 客観主義から主観主義への転回という見方はさらに前からありますが、網羅的かつ批判的に考察したものとしてこちらを挙げておきます）

第4章

Monk, Samuel Holt. 1935. *The Sublime: A Study of Critical Theories in XVIII-Century England*. New York: Modern Language Association of America.
Nicolson, Marjorie Hope. 1959. *Mountain Gloom and Mountain Glory: The Development of the Aesthetics of the Infinite*. Ithaca: Cornell University Press.
（M・H・ニコルソン『暗い山と栄光の山——無限性の美学の展開』小黒和子訳、国書刊

行会、1989)

第5章

Hussey, Christopher. 1927. *The Picturesque: Studies in a Point of View*. London: Putnam.

いずれも半世紀以上前の研究で、本書はここに挙げた文献に全面的に依拠しているわけではありません。しかし本書で語ってきた転換としての近代美学という歴史観は、これらの先達に負っています。

〈事物索引〉

あ行

か行

さ行

た行

な行

は行

ま行

や行

ら行

わ行

〈人物索引〉

あ行

か行

さ行

た行

な行

は行

ま行

や行

ら行

わ行

ちくま新書
1754

近代美学入門《きんだいびがくにゅうもん》

二〇二三年一〇月一〇日　第一刷発行
二〇二三年一一月一五日　第二刷発行

著者　井奥陽子（いおく・ようこ）
発行者　喜入冬子
発行所　株式会社 筑摩書房
東京都台東区蔵前二-五-三　郵便番号一一一-八七五五
電話番号〇三-五六八七-二六〇一（代表）
装幀者　間村俊一
印刷・製本　株式会社 精興社

本書をコピー、スキャニング等の方法により無許諾で複製することは、法令に規定された場合を除いて禁止されています。請負業者等の第三者によるデジタル化は一切認められていませんので、ご注意ください。
乱丁・落丁本の場合は、送料小社負担でお取り替えいたします。
© IOKU Yoko 2023　Printed in Japan
ISBN978-4-480-07584-0 C0270

ちくま新書

377
人はなぜ「美しい」がわかるのか
橋本治
「美しい」とはどういう心の働きなのか？ 「合理性」や「カッコよさ」とはどう違うのか？ 日本の古典や美術に造詣の深い、活字の鉄人による「美」をめぐる人生論。

1742
創造性はどこからやってくるか
――天然表現の世界
郡司ペギオ幸夫
考えもしなかったアイデアを思いつく。急に何かが降りてくる――。そのとき人間の中で何が起こっているのか。まだ見ぬ世界の〈外部〉を召喚するためのレッスン。

1734
中世哲学入門
――存在の海をめぐる思想史
山内志朗
基本用語を解説しつつ、存在の問題からアヴィセンナの存在論、存在の一義性、個体化論、普遍論争へと、存在の海をめぐる思想史を丁寧に案内する決定版入門書。

029
カント入門
石川文康
哲学史上不朽の遺産『純粋理性批判』を中心に、その哲学の核心を平明に読み解くとともに、哲学者の内面のドラマに迫り、現代に甦る生き生きとしたカント像を描く。

1633
日本美術の核心
――周辺文化が生んだオリジナリティ
矢島新
遊び心、わび、デザイン性、文字との融合、多様性の競演……世界の周辺文化のトップランナーである日本美術の唯一無二性を、豊富な図版とともに解析する一冊。

1578
聖母の美術全史
――信仰を育んだイメージ
宮下規久朗
受胎告知や被昇天などの図像、数々の奇蹟やお守り――祈りの対象にして、西洋美術史を牽引した聖母像、その起源や隆盛から衰退、変容までをたどる画期的な一冊。

779
現代美術のキーワード１００
暮沢剛巳
時代の思潮や文化との関わりが深い現代美術の世界を、タテ軸（歴史）とヨコ軸（コンセプト）から縦横無尽に読み解く。アートを観る視点が100個増えるキーワード集。